食品関連法の概要と知って

		食品関連法の種類	監督行政機関	
くわしく知っておきたい食品2法	①	食品衛生法	保健所、厚労省、消費者庁	食品の安全に関する法
	②	食品表示法（新法）	消費者庁、農水省、都道府県	食品の表示に関する法
		食品表示関係法（既存法） 　　ＪＡＳ法 　食品衛生法の一部 　健康増進法の一部	農水省、消費者庁、都道府県 保健所、厚労省、消費者庁 消費者庁、厚労省	
その他の食品関連法	③	景品表示法	消費者庁、都道府県	**不当な表示**を取り締まる法
	④	不正競争防止法	消費者庁、経済産業省	主に**産地偽装**を取り締まる法
	⑤	計　量　法	消費者庁、経済産業省	内容量の許容範囲を決める法
	⑥	薬　事　法	消費者庁、厚労省、都道府県	健康効果宣伝を取り締まる法
	⑦	Ｐ　Ｌ　法	消費者庁	欠陥品による損害補償の法

平成32年3月31日までに**製造する加工食品**については、「食品表示関係法（既存法）」に則った表示も可。ただし、製造所固有記号の使用可否については平成28年4月1日以降「食品表示法（新法）」に則ること。

食品関連法にかかわる主な業務

		食品関連法の種類	主な業務
くわしく知っておきたい食品2法	①	食品衛生法	●営業許可の取得・更新 ●消費期限・賞味期限の設定 ●消費期限・賞味期限の製品印字状態点検 ●衛生的環境・作業の維持・改善 ●微生物検査（微生物規格基準・衛生規範の順守） ●書類（商品カルテ・安全証明書など）の作成・提出 ●食品衛生上の苦情（腐敗・異物混入など）への対応
	②	食品表示法（新法） 食品表示関係法（既存法）	●食品表示の作成・点検 ●食品表示に関する法改正の有無を定期的に確認
その他の食品関連法	③	景品表示法	●商品宣伝字句の作成・点検
	④	不正競争防止法	●製品仕様と製造記録表との照合
	⑤	計　量　法	●商品重量・容量の点検
	⑥	薬　事　法	●商品宣伝字句の作成・点検
	⑦	Ｐ　Ｌ　法	●製造記録表で製造異常有無の点検

最新版

食品に関する法律と実務がわかる本

佐伯龍夫

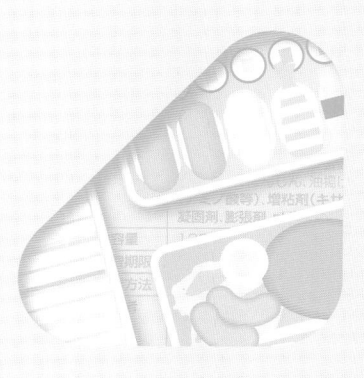

日本実業出版社

はじめに

　本書は、小規模の食品メーカー等向けの初級編です。「食品関係の法律って何？」「どんな法律があるのか？」「もし違反したらどんな罰則があるのか？」などについて知らないという方向けの本です。

「小規模の食品事業者には食品関連法順守実務に精通した人がいない」、それが普通です。実務を手取り足取り教えてくれる人が社内に誰もいない方の"相談役"として書きました。真面目な人は悩み苦しんでいることでしょう。

「食品関連法に沿って少しずつ整えよう。多少の間違いはどこの会社にもある」。加点主義・プラス思考でなければ、小規模事業者の実務はとても務まりません。ということで、食品関連の法律を順守するために、実務に支障をきたさない範囲内でくだけた表現を多用して書いています。

　そのため、専門性の高い部分には踏み込んでいません。たとえば「機能性表示食品制度」は、薬学・医学の知識が必要ですし、高度な科学知識をもとに膨大な資料を作成しなければならないため、小さな食品メーカー・加工会社が自社のみで取り組むことはむずかしいでしょう。この制度を利用したいと思う場合、まずは地元都道府県の産業振興部局へ相談されることをお勧めします。

　本書の主旨は、今日の豊かで多様な食生活を担ってくれている小規模食品メーカーの方に、食品製造・販売における法律・法令を理解してもらうことです。そして、消費者・納品先・行政機関から法律違反の指摘・非難を受けないための一助としていただくことです。

　消費者向けに書いた本ではないとはいえ、もし消費者の方が書店店頭で本書を目になさりペラペラっとめくって「へえ〜、食品の法律って複雑。食品関係の会社で働く人もけっこう大変そう」、多少なりともそう思っていただけたなら、こんなうれしいことはありません。

　食品行政は、小規模メーカーが食品の法令を完全に順守するには、技

術・資金面で越えがたい壁があるということを消費者に説明してはくれませんし、できません。「誠実に営業していれば当然に守れる」、食品関連の法律はそんな甘いものではありません。行政官もその立場立場で苦悶があることでしょう。

　消費者・事業者双方に食品関連の法律への理解を深めていただき、双方が歩み寄ることによって、不幸な誤解・ムダ・不利益が少しでも減ることを望みます。

　また本書は、小規模食品メーカーに送るエールです。食品の法律について「自分は何を知らないのか」がわかってはじめて、知らないことを調べよう・知ろうというスタートラインに着けます。

　この本を読んで、自分は「この点についてくわしく知らない」とわかれば、後はそれを調べればいいだけです。インターネットで検索するにも、検索窓に適切な言葉を入力しなければ、求めている情報にはたどり着けないでしょう。実務に必要とされる用語を知るためにも、本書を活用していただきたいと思います。

　しかし、インターネットで調べても本を探しても、見つからないのが小規模食品事業者の実情に沿った「お問合せ（クレーム・苦情）への詫び状」の例です。消費者、小売店、スーパー、保健所……食品業者にはさまざまなところからお問合せ（クレーム・苦情）がきます。それらのお問合せ（クレーム・苦情）に対しての「詫び状」「報告書」は、書き方の方法を読んでも、書けるものではありません。

　食品会社のコンサルタントとして書き慣れているはずの、この道20数年の私でも頭を抱え、腕組みして天井を見上げて唸りながら、四苦八苦しつつ書いては消し書いては消し、の繰り返しです。今日中に「詫び状」「調査報告書」「改善報告書」を書き上げなければならない方に「書き方」を説いても用をなしません。必要なのは「例文」そのものです。

　その「今すぐ」使える小規模食品事業者のための例文を多く収録しているのが、本書の1つの価値だと思います。

　苦情への対応方法や法律などわからないことは、とりあえず最寄りの

保健所に電話して教えてもらうことをお勧めします。保健所職員は総じて親切です。

　最後に、私から食品会社の方々へのお願いがあります。7アレルゲン（小麦・乳・卵・そば・落花生・えび・かに）の表示だけは欠落しないようご注意ください。幼い子供さんの身体を、保護者の方の心を深く傷つけます。

　2015年9月

佐伯龍夫

※本書の内容は2015年8月1日時点の法令等にもとづいています。

本書は『食品に関する法律と実務がわかる本』（2009年9月、日本実業出版社刊）の内容をもとに加筆、修正を加えたものです。

最新版　食品に関する法律と実務がわかる本●目次

はじめに

プロローグ──意図的な食品関連法違反で廃業になるケースも！ ── 10
　立件・逮捕された事例 ── 12
　話題となった事例 ── 15
　食品不祥事年表（概略） ── 17

1章 食品に関する法律を知っていますか？

1　**食中毒予防のための食品衛生法** ── 23
　食品衛生法の趣旨と所管 ── 23
　営業許可が必要な業種 ── 24
　規格基準と衛生規範の違い ── 24
　行政処分 ── 28

2　**表示のルールを定める食品表示の法律** ── 29
　（1）食品表示法（新法） ── 31
　　食品表示法（新法）の趣旨と所管 ── 31
　　行政処分 ── 35
　（2）食品表示関係法（既存法：JAS法・食品衛生法中の
　　　表示に関する法律・健康増進法中の表示に関する法律） ── 36
　　食品表示関係法（既存法）の趣旨と所管 ── 36

3　**不当な表示を取り締まる景品表示法** ── 45
　景品表示法の趣旨と所管 ── 45
　行政処分 ── 46

4　**内容量の許容範囲を決める計量法** ── 48
　計量法の趣旨と所管 ── 48
　行政処分 ── 49

5　**産地偽装を取り締まる不正競争防止法** ── 50

不正競争防止法の趣旨と所管 ———————————— 50
行政処分（罰金） ———————————————— 51
6 **その他の食品業者にかかわる法律** ———————————— 52
薬事法 ———————————————————— 52
健康増進法 —————————————————— 52
製造物責任法（PL法） —————————————— 52

2章 食品関連法を守るための実務手順

1 **法令順守の心構え** ———————————————— 56
守るべき法を知る──危機管理の第一歩 ————————— 57
何のための法かを知る（存在理由を知る） ————————— 57
各法の概要を知る ———————————————— 57
現在の法律に照らして食品を点検する ——————————— 58
白・黒・グレーに分ける —————————————— 58
グレーの白黒をはっきりさせる ———————————— 58
黒を白に是正する ———————————————— 59
法に照らした点検実施にはタイミングがある ———————— 59
2 **食品関連法上の業務の実務手順** ——————————— 61
①原料メーカーから「原材料規格書」を取り寄せる —————— 61
②自社書式による「商品規格書」を作成する ———————— 63
③商品の「栄養成分表」を作成する ——————————— 63
④商品の「消費期限・賞味期限」の根拠資料を作成する ———— 64
⑤商品の定期微生物検査を実施する ——————————— 66
⑥チェックシート（製造日報）を整備する ————————— 66
⑦工場の衛生状況を改善する ————————————— 68
⑧風評被害による「販売不振回避文書」を作成する —————— 68
3 **品質保証と品質管理の実務の概要** ——————————— 70
小規模メーカーの品質管理 —————————————— 70
商品開発と品質保証 ———————————————— 71
商品開発と品質管理 ———————————————— 72
試作品の販売形態を決める —————————————— 72
試作品の保存（流通）温度を決める ——————————— 72

試作品の日持ち（消費期限・賞味期限）を調べる ─────── 73
　　　微生物の種類と検査方法 ──────────────── 74
　　　食品事業者が知っておきたい検査の方法 ────────── 79
　　　賞味期限・消費期限を決めるための検査 ────────── 81
4　取引先に提出する商品規格書を書く ───────────── 84
　　　▶商品規格書の例────────────────────86
5　商品に貼付する「食品表示」を作成する ─────────── 88
　　　食品表示とは？ ────────────────────── 88
　　　食品表示を正しく作成する具体的手順 ───────────── 89
　　　　▶食品添加物の表示ルール ───────────────── 94
　　　　▶食品添加物の名称と用途名の扱い ─────────── 94
　　　　▶食品添加物の名称と用途名一覧 ──────────── 96
6　品質管理担当者の１日 ─────────────────── 98
7　自社商品の品質リスクと外部関係者への対応 ────────── 100
　　　納品先への対応 ───────────────────── 100
　　　行政への対応 ────────────────────── 101
　　　消費者への対応 ───────────────────── 101
　　　工場見学者への対応 ──────────────────── 102

3章 取引をスムーズにする外部提出書類の書き方

　　　納品先から提出を求められる書類とは ───────────── 110
　　　違法疑義への報告・改善 ────────────────── 112
　　　　▶原材料「不使用証明書」例① ─────────────── 113
　　　　▶原材料「不使用証明書」例② ─────────────── 114
　　　　▶「産地証明書」例 ─────────────────── 115
　　　　▶検査済「安全証明書」例 ──────────────── 116
　　　　▶安全に関する「報告書」例 ──────────────── 117
　　　　▶終売「連絡書」例① ───────────────── 118
　　　　▶終売「連絡書」例② ───────────────── 119
　　　　▶「商品変更のお知らせ」例 ──────────────── 120
　　　　▶「原料変更のお知らせ」例 ──────────────── 121

法令違反の実際と関係者への対応策

1. **製造者の法令違反とは** ———————————— 124
    食品衛生法違反……食中毒・微生物規格基準不適合等 ———— 124
    食品表示法（新法）または食品表示関係法（既存法）違反
    　……アレルゲン・食品添加物・原材料名の記載漏れ等 ——— 124
    景品表示法違反……消費者に事実に反して優良と誤認される表示 — 126
    計量法違反……内容量不足 ——————————————— 126
    不正競争防止法違反……他事業者に不利益を与える表示・行為 — 126
    詐欺罪……販売先に偽りを告げ不正に利益を得る行為 ———— 127
    傷害罪……商品が原因で心身に被害を与える（与えた）行為 —— 127
    製造物責任法（PL法）上の瑕疵（かし）による事故 ————— 127
    特定商取引法違反……通信販売で順守すべき法に反した行為 —— 129

2. **販売業者の法令違反とは** ———————————— 130
    食品衛生法違反……不適正な温度での販売、期限切れ商品の販売等 — 130
    食品表示法（新法）または食品表示関係法（既存法）違反
    　……生鮮食品の不適正な産地表示等 ————————— 131
    景品表示法違反……優良と消費者に誤認されるPOP表現等 —— 131
    計量法違反……表示より少ない数・重量での販売 ————— 132
    不正競争防止法違反……他事業者に不利益を与える表示・行為 — 132
    詐欺罪……著しく優良と誤認させる説明・行為による販売 ——— 132
    傷害罪 ———————————————————————— 132
    製造物責任法（PL法）上の瑕疵（かし）による事故 ————— 133
    特定商取引法違反（通信販売も行なっている場合）————— 133

3. **通販業者の法令違反とは** ———————————— 134

4. **事故・違反が起こったときの対応のしかた** ———— 135
    社内で気づいた場合 ———————————————— 137
    社外からの指摘で事実を知った場合 ————————— 137

5. **事故・違反の関係者への対応のしかた** —————— 139
    納品先への対応 —————————————————— 139
    消費者への対応 —————————————————— 139
    行政への対応 ——————————————————— 140
    マスコミへの対応 ————————————————— 140

指摘者・告発者への対応 ——————————————— 141
　　内部情報を知る人・非好意的指摘への対応 ——————— 142

5章 クレームへの「詫び状」「報告書」の書き方

1 クレームにかかわる「人」と法律 ————————— 144
　　クレーム発生から収束までの流れ ————————— 145
　　クレームに介在する人・機関 ————————————— 145
　　クレームと食品関連法 ————————————————— 146

2 クレームへの対応のしかた ————————————— 148
　　消費者・製造者間の対応 ————————————————— 148
　　消費者→販売者→卸業者→製造者とたどるクレームへの対応 — 149
　　販売者・卸業者・製造者間のクレーム ————————— 150
　　消費者のクレームが保健所にもちこまれた場合 —————— 151
　　消費者と複数の保健所・製造者間の場合 ————————— 152
　　保健所から直接、連絡があった場合 ————————————— 152
　　他都道府県・他政令指定都市の保健所から違反を指摘された場合 — 153

3 クレームへの「詫び状」「報告書」の書き方の実際 —— 155
　　毛髪が混入した場合の書き方（消費者・納品先企業宛）—— 155
　　　▶消費者への「毛髪混入の詫び状」例① ————————— 156
　　　▶消費者への「毛髪混入の詫び状」例② ————————— 157
　　　▶消費者への「毛髪混入の詫び状」例③ ————————— 158
　　　▶消費者への「毛髪混入の詫び状」例④ ————————— 159
　　　▶納品先への「毛髪混入の報告書」例① ————————— 161
　　　▶納品先への「毛髪混入の報告書」例② ————————— 163
　　異物混入の場合の書き方（消費者・納品先企業宛）———— 165
　　　▶消費者への「異物混入の詫び状」例 ——————————— 165
　　　▶納品先への「異物混入の報告書」例 ——————————— 166
　　　▶納品先への「異物混入の事故報告・改善報告書」例 —— 168
　　　▶納品先への「異物混入への改善報告書」例 ——————— 170
　　第三者機関（検査会社）による分析が必要な場合の書き方 — 172
　　　▶「異常物の調査報告書」例 ————————————————— 173
　　　▶納品先への「異常物の調査報告書」例 ————————— 175

▶消費者への「異常物の調査報告書」例 ──────────── 177
　風味異常の場合の書き方（消費者・納品先企業宛）─────────── 178
　　　▶品質苦情に対する「原因調査報告書」例 ───────────── 179
　　　▶納品先への「品質異常の報告書」例 ────────────── 180
　　　▶消費者への「風味異常の詫び状」例 ────────────── 182
　　　▶納品先への「風味異常の報告書」例 ────────────── 183
　「微生物規格基準不適合」報告書の書き方（納品先企業宛）──────── 185
　　　▶納品先への「微生物規格基準不適合の報告書」例① ──────── 186
　　　▶納品先への「微生物規格基準不適合の報告書」例② ──────── 187
　　　▶納品先への「微生物規格基準不適合の報告書」例③ ──────── 189
　　　▶納品先への「微生物規格基準不適合の報告書」例④ ──────── 190
　消費者に体調悪化を訴えられたら ───────────────── 192
　　　▶消費者から体調悪化を訴えられたときの「検査報告書」例 ───── 193
　　　▶納品先への「『消費者の体調悪化』の検査報告書」例 ─────── 194
　「期限表示間違い」の場合の書き方（消費者・納品先企業宛）────── 196
　　　▶消費者への「期限表示間違いの詫び状」例 ──────────── 196
　　　▶納品先への「期限表示間違いの報告書」例 ──────────── 197
　包装不良の場合の書き方（消費者・納品先企業宛）─────────── 199
　　　▶消費者への「包装不良の詫び状」例 ────────────── 199
　　　▶納品先への「包装不良の報告書」例 ────────────── 200

食品業界の関連用語解説 ─────────────────────── 203

あとがき

　　　　　　　　　　　　　　　　　　　　　　装　丁　水野敬一
　　　　　　　　　　　　　　　　　　　　　　DTP　一 企 画

プロローグ——意図的な食品関連法違反で廃業になるケースも！

「佐伯龍夫ですね。20〇〇年9月12日午前9時9分、『食品衛生法違反』および『不正競争防止法違反』で逮捕します」————あり得ない話ではありません。

「事業者側の実行可能性」「行政側の費用対効果」「摘発の公平性」の観点から、行政側はこれからも食品関連法違反に相当程度寛容でしょう。

　寛容な理由は、食品行政に携わる公務員が総じて優しい人が多いからということもあるでしょうが、行政の威光・啓蒙が広く行きわたっているという建前主義が、中央官庁をはじめ食品行政機関に事なかれ主義をまん延させたのでしょう。

　理由はともかく、食品行政機関が能動的に摘発に乗り出した例を私は聞いたことがありません。告発情報が入ってしまった行政機関が、その外圧により受動的に調査・摘発に腰をあげるという基本路線はこの先も変わらないでしょう。とはいえ行政機関に気軽に連絡・告発しやすくなりましたので、場合によっては逮捕される、そういう時代ではあります。

　逮捕されるケースは、違法行為だと知りつつ違法行為を行なった場合です。重過失で消費者を死なせてしまった場合でも逮捕されることは通常ありません。因果関係を証明するむずかしさもあるでしょうが、交通事故よりもさらに人命は軽い扱いです。

　法に抵触する飲食をもてはやす風潮が長く続き、飲食業で顕著ですが、小規模食品業界は「食味第一・安全第二」の不正競争環境下での競争を強いられます。「安全第一・食味も第一」の事業者は不正競争の厳しい環境にさらされます。気の毒ですが、この環境は変わらず半永久に続くでしょう。

　違法行為だと知りつつ違法行為を行ない、それが公になり社会的非難を浴びた「違反業者＝廃業・倒産」、これが昨今の帰結です。信用が失墜し、営業継続が困難になります。汚名返上・名誉挽回の機会が与えら

れるほど、いまの社会は寛容ではありません。営業を継続できた場合でも、社名が汚れ「あ〜例の違反の〜」と後々まで後ろ指を指されます。

　風評被害に巻き込まれ、販売不振の実害を受けた同業他社からは恨まれますし、また行政側から重点監視対象企業として実質監視下に置かれます。代償は大きいのです。

　オーナー経営者が主導したとしても、消費者感覚では「従業員はなぜ黙って従ったのか？」「従業員は罪悪感を抱かなかったのか？」、そう思うでしょう。「罪悪感は感じていた」と私は思います。しかしオーナー経営者は社内では絶対的な存在で、その意向に逆らうことは失職・失業を意味します。転職が容易な人であるならさっさと転職するでしょう。違法行為を強いられても辞めない人は、辞められない事情があるのでしょう。辛いことであろうと思います。

　小規模メーカー経営陣の食の法令順守意識には世代間ギャップが激しいと感じます。

　10年以上前までは、小規模メーカーに食の法令順守を啓蒙する雰囲気は保健所以外の行政機関にはまったくありませんでした。私が当時の公務員でも同じようにしただろうと思います。

　当時は、政財界から行政への要求・要望に抗する、消費者からの要求・要望・応援・後押しは弱く、何の力にもならない時代でしたから、生真面目な公務員が真面目に仕事をしたなら結果として冷遇されたでしょう。生真面目な公務員にとって、さぞ辛い時代だったろうと思います。

　そんな時代を生きてきた現在高齢の経営者の方々は、食の法令概要を知っている人のほうが少数派です。現在のネット社会とは大きく異なり、食の法令概要を知るだけでも多大の労力を要しました。縦割り行政のそれぞれの中央官庁・地方自治体の役所まで足を運び、頭を下げて教えていただき、はじめて法の大要を知り得ました。東京に本社・支社のある大企業でなければ情報過疎になるのは必然でした。

　現在高齢の小規模メーカー経営者は、そういう時代を生きてこられていますので、本人は意識していなくとも現在の食の法令順守志向とギャッ

プが生じていたり、戸惑ったりされるのは自然なことだろうと思います。

「社会的に集中砲火を浴びる」。これは「意図的に」違反した事業者に限定されます。結果として違反したことを責められるわけではありません。「意図的ではなかった」「法律を知らなかった」場合、社会は寛容です。

食品の安全に関する法令には、高度な科学知識があってはじめて守れる法令もあります。「誠実に法令順守に努める」ことだけで「100％の法令順守達成」ができるものではありません。

「いま、そして今後もまったく法令違反せずにすむ食品企業はない、これは大手であろうと例外ではない」。私はそう断言します。

食品の法令はもともと「完璧な順守」を想定してつくられた法律ではありません。努力目標のはずでした。しかし現在は、消費者が食品業界に満点を求めています。それに引きずられ、行政もある意味で「手のひらを返す」対応に変わってきました。

行政からすれば板ばさみの状態で、行政処分の軽重に統一性が見られないことからも、その戸惑いが見て取れる状況が続いています。食品関連法を監督指導する行政機関による事業者処分の不公平は、今後も変わらず続くでしょう。

本書は、中小零細食品事業者向けに書いています。立場によって、この本の読み方は異なるでしょう。「食品に関する法を守るということは簡単なことではない」「誠実だけで法は守れない」ということを知っていただき、食品業界・消費者双方の対立・意識のズレを少しでも緩和できれば幸いです。消費者の誤解を招かないよう、小規模の食品事業者が少しずつ是正を進める一助に本書がなることを願っています。

▶ 立件・逮捕された事例

＜ミートホープ＞

2006年春、農林水産省北海道事務所にミートホープの元幹部の方が不正ひき肉を持参し告発しましたが、同所は実質無視したそうです。

2007年6月に豚肉を使用していないはずの冷凍食品から豚肉成分が検出され、牛肉100％ひき肉に豚肉を混ぜていたミートホープの不正が白日のものとなりました。
　安全安心に関心の高い消費者が期待と信頼を寄せていた生協や学校給食も同社から仕入れていた、ということで不安・怒りが増幅しました。
　安全上の問題としては、アレルゲンである豚肉と牛肉を混合しながら、その一方しか表示していなかったというように、アレルギー体質の子供さんに対する配慮がまったくなく、安全上も問題である製品を意図的に出荷した珍しい事件です。元社長の反省のないマスコミ対応が消費者の怒りに火をつけ、農水省もメンツにかけて実刑にした事例です。
　元社長は前時代的考えにこり固まっていて、食物アレルギーを理解できなかったのかもしれません。従業員にとっても不幸な事件でした。
　元社長は不正競争防止法違反（虚偽表示）と詐欺の罪で懲役4年の実刑を科せられました。

＜ウナギ産地偽装に手を染めた企業＞

　ウナギの産地偽装は複数の会社で露見し、産地表示に対する消費者の疑念はいまもくすぶっている印象です。中国産のウナギが食品衛生法違反（抗生物質の基準値超過）で回収されたことがたびたび報道されたことで、中国産に限らず外国産ウナギへの不信感を消費者に与えました。
　中国産・台湾産の在庫を抱えて困った人が外国産を国産と偽り、在庫を売り切ろうとした事件が多かったのではないかと私は思っています。
　いつ、こういう厳しい逆風にさらされるか予想はむずかしいものです。他人事ではありません。
　外国産と国産の価格に大きな差がなければ立件されることはなかったでしょうが、不正に「儲けた」ということが刑事責任（不正競争防止法違反）の根拠となったようです。
　2015年4月1日に施行された食品表示法では、産地表示義務食品に産地虚偽表示があった場合、利益発生の有無にかかわらず、販売した人・法人は罰せられることになりました。

＜船場吉兆＞

　2007年に、賞味期限切れ商品のラベルを貼り替えての販売（JAS法違反。現在であれば食品表示法違反）や牛肉産地偽装（JAS法違反・景品表示法違反・不正競争防止法違反。現在であれば食品表示法違反・不正競争防止法違反）が発覚し、さらに2008年5月には食べ残し料理の使い回しが発覚し、同月末に廃業しました。

　「有名な高級料亭であった」。これがすべて。「高級料亭なのにそんなイカサマなことをするなんて！」というのが庶民の怒りのもとでしょう（「高級料亭」に興味はあっても一生縁のない私はひがみ根性で冷ややかな視線を向けたものです）。

　弱い立場にあるパート従業員に、経営陣が責任をなすりつける発言もありました。「従業員が勝手にやった」という嘘がばれたときには、いっそう厳しい視線が向けられるのは当然です。私はこの一点で船場吉兆を擁護しようかという気持ちが失せました。

　ちょっとしたボタンのかけ違いが端緒となり、坂道を転がり落ちたのかもしれません。経営陣はさぞ後悔したことでしょう。

＜丸明（まるあき）＞

　ミートホープの二番煎じのような印象です。牛の等級を偽ったことが問題でした。元社長が低姿勢をつらぬいてマスコミに向けて謝罪していれば、大きく報道されることはなかったでしょう。元社長のマスコミに対する横柄な態度・対応が消費者の怒りを買った事件です。

　農水省が困ったのは、立件する材料をなかなか見つけられなかったことです。ミートホープでは「安全」にかかわる食品衛生法違反もありましたが、丸明の場合、「安全上の問題はない（食品衛生法違反ではない）」ことが農水省にとっては歯がゆかったことでしょう。不正競争防止法違反で何とか立件しましたが、「これほど世間に騒がれても逮捕されないのか？」と疑問を感じた消費者もいたのではないかと思います。これも農水省がメンツにかけて立件へこぎつけた例です。

▶ 話題となった事例

＜白い恋人（石屋製菓）＞

　売り切れなかった詰合せ商品の賞味期限を延長したこと（JAS法違反。現在であれば食品表示法違反）が問題視されました。地元北海道の消費者が示した愛着・支持、行政による支援、当時の社長の真摯な対応、従業員が社長をかばったことなどの好材料により、決定的なダメージは回避できました。

　「私の責任です」「いや君の責任ではない。社長である私の責任だ」。そういう風土の企業なら世の消費者・マスコミもとことん追い込むことはしないものです。

＜赤福＞

　赤福の場合は、商品の再利用（食品衛生上問題のある再利用は食品衛生法違反。このケースでは微生物等の検査結果が公になっていませんので該当したか不明）が問題となりました。その他、日付に関しては一部行政に相談していたそうで、行政も把握しながら大目に見ていたこともあり、気の毒な面もありました。しかし、「解凍した日」を製造した日というニュアンスで消費者に伝えていた（JAS法違反。現在であれば食品表示法違反）ことが「老舗中の老舗」に傷をつけました。「老舗」には高い商道徳が求められるということです。

　地場企業でも全国的知名度が高い場合には、同じ轍を踏まぬよう他山の石としたい事例です。

＜行政側黙認のメニュー偽装にはまった飲食店＞

　多数の飲食店で、食材表示を偽装していたとしてマスコミが興味本位に大々的に報道しました。飲食業界での通称が昨今の法令上の呼称とずれていたことが主因で、低価格食材名を高価格食材名でメニュー表示したり、またその逆もありました。

　公正取引委員会・経済産業省が長年目をつぶってきた業界の不適正表示が大々的に報道され、一気に社会問題化しました。

行政側が指摘・指導しないこともあり、飲食店側に不適正表示の自覚がまったくなかった例が多かったようです。自店だけ適正表示をすれば不正表示が常態化した不正競争下では競争力を著しく損なうでしょうから、飲食事業者個々を一方的に責めるのは酷に思いました。

＜ペヤング騒動＞　熱烈なファンたちが会社を守った稀有な事例
　社長が表に出なかったことは妥当だったのだろうと思います。出ていれば社長は退任することになったでしょう。
　Twitterで話題となった会社ホームページ中の工場内写真を拝見して「品質保証担当者が実質的権限を与えられていない会社なのだろう」と思いました。権限・発言力を与えられていれば、品質保証上問題のある写真を掲載させはしないでしょう。工場内写真を多くの人が見てしまった、それが決定打となったのでしょう。
　その後の対応は見事でした。ただし、マスコミへの対応が消極的であったにもかかわらずマスコミが叩きにかからなかったのは、熱烈なファンを敵に回すことを避けたからだろうと思います。多くの熱烈なファンの存在がマスコミを自制させる楯となった、私はそう思いました。
　地場オーナー経営製造会社で、かつ全国的知名度の高い企業の多くは、同様のリスクを抱えているだろうと思います。ペヤング騒動の貴重な教訓に学び、品質保証体制の整備を進めれば、騒動を回避する可能性を高められるでしょう。
　いずれどこかで第二・第三・第四……の騒動は起こります。品質保証担当者の社内発言力をオーナー経営者が意識的に高める努力をしない限り、いずれ騒動の当事者となってしまうでしょう。

　地方の事業者は、他社の不祥事を見聞きしても、消費者意識の高まりに概して鈍感です。地方行政機関の啓蒙の甘さもあり、地方は都会にくらべてぬるま湯傾向です。中小零細事業者では、君主たるオーナーを啓蒙しない限り、食品関連法の認知度は上がらず、結果、順守志向も育ちません。知らなければ守りようがありません。

潜在的リスクが顕在化しないよう、地方行政機関は地場産業保護・育成の観点からも、オーナーへの啓蒙に注力してほしいと思います。違反摘発・告発なら民間人でもできます。それに対して行政にしかできないのは、権威・権限にもとづいた強制力を背景とする啓蒙です。いまは、まだまだ啓蒙と摘発の順が逆です。「啓蒙をしています」と胸を張れるのは、保健所くらいなものです。

　「行政責任履行の啓蒙なくして、行政権限行使の摘発なし」。行政機関による摘発件数が少ない理由は、啓蒙が十分でないことを自覚するがゆえに、摘発を自重しているという面もあるのだろうと私は思います。

● 食品不祥事年表（概略）

（過去の過ちは過ちとして、現在は適正に営業しているであろうと思いますので、社名は極力伏せています）

2001年
・牛肉偽装事件 　　外国産の牛肉を国産と偽って販売。 　　　　**違反した法律**：JAS法・景品表示法・不正競争防止法 ・フグ産地偽装事件 　　国内産地のフグを他の有名産地名で販売。 　　　　**違反した法律**：JAS法・景品表示法・不正競争防止法
2004年
・牛肉処分補助金詐欺事件 　　BSE事件を悪用し、補助金対象外の牛肉で補助金を「授受」。 　　　　**違反した法律**：刑法（詐欺） ・米産地偽装 　　有名産地名に偽装。 　　　　**違反した法律**：JAS法・景品表示法・不正競争防止法

2005年

- **ウナギ産地偽装**（複数の会社による産地偽装が毎年のように摘発されました）
  - 主に中国産・台湾産を国産と偽装。
    - **違反した法律**：JAS法・景品表示法・不正競争防止法
- **アサリ産地偽装**
  - 中国産・北朝鮮産を国産と偽装。
    - **違反した法律**：JAS法・景品表示法・不正競争防止法
- **ミートホープ事件**
  - 牛肉と豚肉の合びき肉を牛ひき肉と偽って販売。
  - 外国産鶏肉を国産と偽って販売。
    - **違反した法律**：JAS法・景品表示法・不正競争防止法

2007年

- **鶏肉ブランド名詐称**
  - 比内地鶏(ひないじどり)でない価格の安い鶏肉を比内地鶏の鶏肉と偽って販売。
    - **違反した法律**：JAS法・景品表示法・不正競争防止法
- **船場吉兆事件**
  - 国内産地の牛肉を他の国内有名産地の牛肉として販売。
    - **違反した法律**：JAS法・景品表示法・不正競争防止法
  - 一度客に出した食材の使い回しも発覚。
    - **違反した法律**：衛生的に問題があったなら、食品衛生法違反。法的に問題ないとしても、商道徳に反する行為。
- **精肉石川屋事件**
  - 鶏肉の産地偽装・JAS規格不正表示を学校給食に対して行なった偽装。
    - **違反した法律**：JAS法・景品表示法・不正競争防止法

2008年

- **海ぶどう産地偽装**
  沖縄産とフィリピン産の海ぶどうを混ぜて沖縄産として販売。
  違反した法律：JAS法・景品表示法・不正競争防止法
- **牛肉等級不当表示**
  低い等級の肉を高い等級の肉として販売。
  違反した法律：景品表示法・不正競争防止法
- **事故米不正転売**
  食用にしてはいけない事故米（カビが発生したもの等）を食用として転売。
  違反した法律：刑法（詐欺）

2009年

- **牛肉産地不正喧伝**
  ある飲食店が1種類のブランド牛しか使っていないと宣伝しながら、そのブランド牛の使用が実際は全体の半分以下であった。
  違反した法律：景品表示法・不正競争防止法
- **米産地偽装**
  米の精米袋詰め業者が産地・産年を偽り販売した。
  違反した法律：JAS法・景品表示法・不正競争防止法

2011年

- **ユッケ食中毒死亡事件**
  飲食店が加熱用の牛生肉を生のまま供食し、食べた方々が食中毒で死亡した。納品した加工者は「加熱用として納品」、飲食店は「生食用として仕入れ」と主張に食い違いあり。
  違反した法律：刑法（傷害致死罪・傷害罪）・食品衛生法・不正競争防止法

2013年

- **メニュー偽装**

  多数の飲食店で食材表示を偽装していたとしてマスコミが大々的に報道。飲食業界での通称が昨今の法令上の呼称とずれていたことが主因。低価格食材名を高価格食材名でメニュー表示したり、またその逆もありました。公正取引委員会・経済産業省が長年目をつぶってきた業界の不適正表示が大々的に報道され、一気に社会問題化しました。しかし行政側は、自組織内の責任問題化を恐れてか、行政側も問題は知りつつ抜本的是正をしてこなかったことを謝罪しませんでした。

  　　違反した法律：景品表示法・不正競争防止法

- **農薬混入事件**

  品質保証レベルの非常に高い企業に対して、1人の従業員が行なった悪質極まりない嫌がらせ。考えられる限り迅速な対応（回収告知・製造中止・原因調査）が行なわれた結果、最悪の事態（犯人による嫌がらせを超えた再犯）を阻止し、消費者の人命を守ったと、同社に私は敬意を抱きます。同様の内部犯行を小規模食品企業が受けた場合、原因究明どころか問題把握自体が困難でしょう。これ以上は模倣犯を誘発しないために口を慎みます。従業員が会社に愛着を持てる労働環境は国の政策によってますます遠のくでしょうから、食品業界にとって明日は我が身の事件です。

  　　犯人が犯した法律：刑法（偽計業務妨害罪）、傷害罪は立証できず

1章

食品に関する法律を
知っていますか？

日常的に私が意識しているのは、**食品表示法**と**食品衛生法**です。その他の法律は、実際の商品より「よく見せよう」「よく思われよう」と過度に思わなければ、法に抵触することは普通ありません。ただ各法の存在・主旨・概要は知っておかないと、心にブレーキがかかりません。頭の隅に置いておくという意味でご紹介します。

　食品営業を行なっているすべての事業者にかかわる法律は、**食品衛生法、不正競争防止法、景品表示法**です。その他の法律（食品表示法など）は生鮮食品・加工食品にかかわります。

　１つの建物の中で調理し販売する場合、たとえば飲食店では、食品表示法は関係ありません。食品表示法に従って表示してもいいのですが、表示義務はありません。ただし表示する場合、間違いがあれば景品表示法違反・不正競争防止法違反・食品衛生法違反になる可能性もありますので、正確を期する必要があります。

　法律に違反してしまったことを知るに至る経緯は？　というと次の４通りのいずれかです。**「違反した企業が自発的に気づいた」「取引先から指摘を受けた」「消費者から指摘を受けた」「行政から指摘を受けた」**。それぞれ知った経緯によって事後処理が異なります。

　大手企業の場合、自社で気づかず外部の人が先に気づくという違反は起こりません。大手は違反した商品を販売してしまった場合、自社が存続の危機に立たされるほどのダメージを受けることを重々心得ています。人材を投入し、法改正等の情報収集にも余念がありませんので、食品関連法全般の横断的知識レベルは非常に高いです。また微生物検査・理化学検査・残留農薬検査用の機器および検査要員を自社で有していますので、一元的総合力としては国以上のレベルです。ですから、大手企業自身が違反に気づかず、他者が気づくということは通常考えられないことです。

1 食中毒予防のための食品衛生法

● 食品衛生法の趣旨と所管

　食品衛生法とは、一言でいうと「食の安全に関する法」です。「食する人の健康を守るため食品事業者を規制する法律」、または「保健所が食品事業者を指導監督する上で根拠となる法律」ともいえます。

　堅苦しい言い方をしますと、「食品の安全性確保と飲食での衛生上の危害発生を防止することで国民の健康を保護することを目的とした法律」です。

　この法律には、**食品**および**添加物**、**器具**および**容器包装**、**食品添加物**、**監視指導**、**検査**、**営業**等の規制が記されています。

　所管は厚生労働省・消費者庁ですが、実際に食品会社の**指導監督**にあたるのは通常、**地方自治体の保健所**です。

　食品衛生に関する法令としては、「法」として食品衛生法、「施行令」または「政令」として**食品衛生施行令**があります。ここまでが法令です。

　その他「規則」または「省令」として**食品衛生法施行規則**、「乳等省令」として「**乳及び乳製品の成分規格等に関する省令**」、「告示」として「**添加物の規格基準**」等があります。さらに、通知というものもあります。ここまでは全国共通です。

　そして各地方自治体には「条例」があり、その地方自治体で販売する、あるいは製造販売する場合には固有の条例に則ることが求められます。何とも複雑な法体系です。私もすべてが頭に入っているわけではありません。必要に迫られたときにひも解いて確認するといった具合です。

　食品衛生法は、食中毒・微生物規格基準違反・残留農薬基準違反・食品添加物使用基準違反といった「人の健康を損なう（あるいは可能性のある）違反」を取り締まる法律です。食品事業者としては最優先に守るべき法です。

▶ 営業許可が必要な業種

　下記の34業種で営業しようとする事業者は、食品衛生法により**所管の保健所長から許可を受ける**必要があります。

　手順は営業しようとする事業者が、所管保健所に営業許可申請書を提出し、その施設が施設基準を満たしていると認められた場合に許可がおります。手続き・提出書類の書式は各地方自治体で多少異なりますので、実際に許可を取ろうとする場合は、各地方自治体のホームページの「食品営業許可申請」ページをご覧ください。

■保健所の営業許可が必要な34業種

飲食店営業、喫茶店営業、菓子製造業、あん類製造業、アイスクリーム類製造業、乳処理業、特別牛乳搾取処理業、乳製品製造業、集乳業、乳類販売業、食肉処理業、食肉販売業、食肉製品製造業、魚介類販売業、魚介類せり売営業、魚肉ねり製品製造業、食品の冷凍又は冷蔵業、食品の放射線照射業、清涼飲料水製造業、乳酸菌飲料製造業、氷雪製造業、氷雪販売業、食用油脂製造業、マーガリン又はショートニング製造業、みそ製造業、醤油製造業、ソース類製造業、酒類製造業、豆腐製造業、納豆製造業、めん類製造業、そうざい製造業、缶詰又は瓶詰食品製造業、添加物製造業

▶ 規格基準と衛生規範の違い

＜規格基準とは＞

　食品衛生法にもとづき、食品・器具および容器包装等について定められている成分規格や、製造・加工・調理および保存の基準です。基準に適合していなければ違反（違法）になります。

＜衛生規範とは＞

　食中毒の原因となることが多く、その製造等において衛生上の配慮が必要である食品について、厚生労働省が作成した営業者の食品の衛生的

な取扱いなどについての規範です。

　行政が食品取扱事業者およびその食品の良し悪しを判断する基準で、「基準に適合していなければ行政がその事業者を指導する」という指導基準です。基準に適合していなくても違反（違法）ではありません。

＜微生物規格基準と衛生規範＞

　微生物規格基準に適合していない場合、違反ですので回収することになります。

　衛生規範における製品の基準に適合しない場合、改善を求められます。一般に回収の必要はありませんが、食中毒が起こった場合には、もちろん回収です。

■微生物規格基準

分類	細菌数	大腸菌群	大腸菌(E.coli)	黄色ブドウ球菌	その他
生乳	400万/ml以下※				※直接個体鏡検法
生山羊乳	400万/ml以下※				※直接個体鏡検法
牛乳	5万/ml以下	陰性			
特別牛乳	3万/ml以下	陰性			
殺菌山羊乳	5万/ml以下	陰性			
成分調整牛乳	5万/ml以下	陰性			
低脂肪牛乳	5万/ml以下	陰性			
無脂肪牛乳	5万/ml以下	陰性			
加工乳	5万/ml以下	陰性			
クリーム	10万/ml以下	陰性			
バター		陰性			
バターオイル		陰性			
プロセスチーズ		陰性			
濃縮ホエイ		陰性			
アイスクリーム	10万/g以下※	陰性			※発酵乳又は乳酸菌飲料を原料として使用したものにあっては、乳酸菌又は酵母以外の細菌の数。
アイスミルク	5万/g以下※	陰性			
ラクトアイス	5万/g以下※	陰性			
濃縮乳	10万/ml以下				
脱脂濃縮乳	10万/ml以下				
無糖練乳	0/g				
無糖脱脂練乳	0/g				
加糖練乳	5万/g以下	陰性			
加糖脱脂練乳	5万/g以下	陰性			
全粉乳	5万/g以下	陰性			
脱脂粉乳	5万/g以下	陰性			
クリームパウダー	5万/g以下	陰性			

76ページ参照

221ページ参照

培養をしない検査方法。顕微鏡で菌数を直接目で見て数える方法です。

ホエイパウダー	5万/g以下	陰性			
たんぱく質濃縮ホエイパウダー	5万/g以下	陰性 陰性			
バターミルクパウダー	5万/g以下	陰性			
加糖粉乳	5万/g以下	陰性			
調整粉乳	5万/g以下	陰性			
発酵乳		陰性			乳酸菌数又は酵母数：1000万/ml以上
乳酸菌飲料(無脂乳固形分3.0%以上のもの)		陰性			乳酸菌数又は酵母数：1000万/ml以上 発酵させた後に、75℃以上で15分間加熱するか、又はこれと同等以上の殺菌効果を有する方法で加熱殺菌したものは、この限りでない。
乳飲料	3万/ml以下	陰性			
乳酸菌飲料(無脂乳固形分3.0%未満のもの)		陰性			乳酸菌数又は酵母数：100万/ml以上
＜保存試験＞ 常温保存可能品(牛乳、成分調整牛乳、低脂肪牛乳、無脂肪牛乳、加工乳、乳飲料)	0/ml※				※30±1℃で14日間保存又は55±1℃で7日間保存した後の細菌数
清涼飲料水		陰性			
ミネラルウォーター類(容器包装内の二酸化炭素圧力が20℃で98kPa未満で、かつ、殺菌又は除菌しないもの)	5/ml以下				腸球菌：陰性、緑膿菌：陰性
粉末清涼飲料(乳酸菌無添加)	3000/g以下	陰性			
粉末清涼飲料(乳酸菌添加)	3000/g以下 (乳酸菌以外)	陰性			
氷雪	100/融解水1ml以下	陰性			
氷菓	1万/融解水1ml以下※	陰性			※発酵乳又は乳酸菌飲料が原料の場合は、乳酸菌又は酵母以外の細菌の数
殺菌液卵					サルモネラ属菌：陰性/25g
未殺菌液卵	100万/g以下				
乾燥食肉製品			陰性		
非加熱食肉製品			100/g以下	1000/g以下	サルモネラ属菌：陰性
特定加熱食肉製品			100/g以下	1000/g以下	クロストリジウム属菌：1000/g以下 サルモネラ属菌：陰性
加熱食肉製品(容器包装に入れた後、加熱殺菌したもの)			陰性		クロストリジウム属菌：1000/g以下
加熱食肉製品(加熱殺菌した後、包装容器に入れたもの)				陰性	1000/g以下	サルモネラ属菌：陰性

鯨肉製品		陰性		
魚肉ねり製品(魚肉すり身を除く)		陰性		
ゆでだこ				腸炎ビブリオ：陰性
冷凍ゆでだこ	10万/g以下	陰性		
ゆでがに				腸炎ビブリオ：陰性
冷凍ゆでがに	10万/g以下	陰性		
生食用鮮魚介類				腸炎ビブリオ：100/g以下
生食用かき(殻付き)	5万/g以下		230/100g以下	
むき身にした生食用かき				腸炎ビブリオ：100/g以下
無加熱摂取冷凍食品	10万/g以下	陰性		
加熱後摂取冷凍食品(凍結させる直前に加熱されたもの)	10万/g以下	陰性		
加熱後摂取冷凍食品(凍結させる直前に加熱されたもの以外のもの)	300万/g以下	陰性		
生食用冷凍鮮魚介類(切り身又はむき身)	10万/g以下	陰性		腸炎ビブリオ：100/g以下
容器包装詰加圧加熱殺菌食品				当該容器包装詰加圧加熱殺菌食品中で発育し得る微生物：陰性

■衛生規範における製品の基準（目標値）

分類	一般生菌数	大腸菌群	大腸菌(E.coli)	黄色ブドウ球菌	その他
そうざい類：加熱処理製品(卵焼、フライ等)	10万/g以下		陰性	陰性	
そうざい類：未加熱処理製品(サラダ、生野菜等)	100万/g以下				
漬物(容器包装に充てん後加熱殺菌したもの)					カビ：陰性、酵母：1000/g以下
一夜漬(浅漬)			陰性		腸炎ビブリオ：陰性
洋生菓子	10万/g以下	生鮮果実部以外：陰性		陰性	
生めん	300万/g以下		陰性	陰性	
ゆでめん	10万/g以下	陰性		陰性	
生めん・ゆでめんの具等：加熱処理品(天ぷら、つゆ等)	10万/g以下		陰性	陰性	
生めん・ゆでめんの具等：未加熱処理品(生野菜等)	300万/g以下				

▶ 行政処分

　行政処分にもいろいろあります。どういった処分があるかというと、「回収指導、回収命令、担当部署のホームページにのみ掲載（限定的公表）、公表、改善指導、改善勧告、営業停止、営業禁止、営業許可取り消し、廃棄処分（廃棄命令、強制廃棄）、危害除去処置命令（取扱改善命令、販売禁止命令、使用禁止命令、回収及び移動禁止命令）、検査命令、始末書提出、てん末書提出」といったものがあります。

＜処分を受けるまでの一連の流れ＞

　監視・指導または通報→立入り検査（保健所の食品衛生監視員）→指導（保健所の食品衛生監視員）

＜違反のときの処分例＞

　営業停止・営業許可の取り消し（都道府県・政令指定都市）
　個人：2年以下の懲役、または200万円以下の罰金
　法人：1億円以下の罰金
　監視・指導の内容→報告の要求・臨検・検査・収去（食品衛生監視員による。216ページ参照）

2 表示のルールを定める食品表示の法律

　食品表示に関する法律は**新法と既存法が併存**しています。加工食品については平成32年4月1日からは既存法に沿った表示が不可となります。生鮮食品については平成28年10月1日からは既存法に沿った表示が不可となります。

　また、製造所固有記号は平成28年4月1日以降に消費者庁に届け出る市販用商品には使用不可です。例外として、同じ製造会社の複数工場で製造する市販商品には使用可です。業務用商品については新法においても使用可です。経過措置として、従来ルールに沿った製造所固有記号を平成28年3月31日までに消費者庁に届け出た市販用商品には、従来ルールに沿った製造所固有記号が平成32年3月31日まで使用可です。

　それでは食品表示法（新法）と食品表示関係法（既存法：JAS法・食品衛生法中の表示に関する法律・健康増進法中の表示に関する法律）について概略を説明します。

　その前に、小さな製造・加工会社の場合、一般用（市販用）加工食品の食品表示は経過措置終了の半年～1年前くらい（平成31年中）まで食品表示関係法（既存法）に沿って作成するのが無難だろうと思います。

　食品表示法（新法）は、これからも随時改正されますので、そのつどラベル・包装材をつくり直すのは労力がかかります。新法に沿った表示の商品が食品スーパー店頭の半数以上を超えた時期を見計らって、他社表示を参考に新法に沿った表示への切り替えを進めるというのが私のお勧めです。

■原材料名欄の表示作成例

＜使用食材名・食品添加物名をランダムに書き出した例＞

鶏肉、小麦粉、揚げ油(なたね油)、コーンフラワー〔脱脂粉乳、香料(乳原料・大豆原料を含む)・カロテン色素を含む〕、植物油〔酸化防止剤(ビタミンE)を含む〕、粒状大豆たんぱく、小麦でん粉、食塩、砂糖、粗ゼラチン、卵白、調味料(アミノ酸等)、オニオンパウダー(小麦原料・香辛料抽出物を含む)、ベーキングパウダー、pH調整剤

既存法での表示例①

鶏肉、小麦粉、揚げ油(なたね油)、コーンフラワー、植物油、粒状大豆たんぱく、小麦でん粉、食塩、砂糖、粗ゼラチン、卵白、オニオンパウダー、調味料(アミノ酸等)、ベーキングパウダー、pH調整剤、香辛料抽出物、香料、カロテン色素、酸化防止剤(ビタミンE)、(原材料の一部に、乳成分を含む)

新法（食品表示法）での表示例①
（食材・食品添加物・アレルゲンを改行して区切る例）

鶏肉、小麦粉、揚げ油(なたね油)、コーンフラワー、植物油、粒状大豆たんぱく、小麦でん粉、食塩、砂糖、粗ゼラチン、卵白、オニオンパウダー、
調味料(アミノ酸等)、ベーキングパウダー、pH調整剤、香辛料抽出物、香料、カロテン色素、酸化防止剤(ビタミンE)、
(一部に、鶏肉・小麦・大豆・ゼラチン・卵・乳成分を含む)

＜アレルゲンの表示ルール＞

食材に含まれるアレルゲンは「卵・小麦」とそのまま書きますが、乳についてだけは「乳成分」と書きます。
食品添加物に含まれるアレルゲンは「卵由来・小麦由来」と書きます。乳についても「乳成分由来」ではなく「乳由来」と書きます。

新法（食品表示法）での表示例②
（食材・食品添加物を／で区切り、アレルゲンを改行して区切る例）

鶏肉、小麦粉、揚げ油(なたね油)、コーンフラワー、植物油、粒状大豆たんぱく、小麦でん粉、食塩、砂糖、粗ゼラチン、卵白、オニオンパウダー、／調味料(アミノ酸等)、ベーキングパウダー、pH調整剤、香辛料抽出物、香料、カロテン色素、酸化防止剤(ビタミンE)、
(一部に、鶏肉・小麦・大豆・ゼラチン・卵・乳成分を含む)

新法ではアレルゲンを食材・食品添加物ごとに例えば「オニオンパウダー(小麦を含む)」と表示する**個別表示**を消費者庁は推奨しています。もっともなことだと思います。しかし、この方法は表示作成実務上記載欠落を起こしやすくまた相当神経を遣う方法です。アレルゲン表示の欠落は命に係わりますので、小規模メーカーには「末尾に一括表示する」ルールの選択を私はお勧めします。

新法（食品表示法）での表示例③
（食材・食品添加物を別枠で区切り、アレルゲンをそれぞれに書く例）

鶏肉、小麦粉、揚げ油(なたね油)、コーンフラワー、植物油、粒状大豆たんぱく、小麦でん粉、食塩、砂糖、粗ゼラチン、卵白、オニオンパウダー、(一部に、鶏肉・小麦・大豆・ゼラチン・卵・乳成分を含む)

調味料(アミノ酸等)、ベーキングパウダー、pH調整剤、香辛料抽出物、香料、カロテン色素、酸化防止剤(ビタミンE)、(一部に、乳由来・大豆由来を含む)

（1）食品表示法（新法）

▶ 食品表示法（新法）の趣旨と所管

　食品表示法は「食品の素性を消費者に伝えるための法」です。「JAS法」「食品衛生法の表示に関するルール」「健康増進法の表示に関するルール」に変更を加え、ひとつの法律にまとめたものが食品表示法です。

　所管は消費者庁です。農水省・都道府県にも指導監督権限があります。行政機関による指導監視はごく限られます。しかし、食の安全安心への関心の高まりや顕在化した食品不祥事問題を受けて、監視指導が強化されつつはあります。

　食品表示法に食品表示のルール（**食品表示基準**）が定められています。「飲食店」と「調理販売一体型店舗」以外の業態で扱う食品のほとんどが、食品表示基準を順守する必要があります。

　順守すべき食品表示基準は、食品群ごとに分かれています。自社取扱い商品がどの表示基準に該当するか確認し、順守に努めましょう。
「該当する食品表示基準」と「自社取扱い商品の表示」が合致していない場合、回収となることもあります。ご注意ください。

　食品表示法については消費者庁のホームページに詳細に記されていますが、資料が膨大です。まず概要を知るための資料として、消費者庁と東京都の食品表示法概要説明資料をご案内します。
・消費者庁ホームページ「新しい食品表示制度について」
　http://www.caa.go.jp/foods/pdf/150511_shiryou2.pdf
・東京都ホームページ「食品表示法ができました」
　http://www.fukushihoken.metro.tokyo.jp/shokuhin/hyouji/kyouzai/files/2015_leafret.pdf

　すべての食品に共通した義務表示は横断的義務表示です。そのほか、下記食品分類には追加の義務表示があり、下記食品分類に該当する場合

の義務表示は「横断的義務表示＋食品分類ごとの個別ルールに沿った表示」です。個別ルールは食品分類ごとに異なります。

■個別ルールのある食品分類(48種)の一覧

・農産物缶詰及び農産物瓶詰　・トマト加工品　・乾しいたけ
・農産物漬物　・野菜冷凍食品　・ジャム類　・乾めん類
・即席めん　・マカロニ類　・パン類　・凍り豆腐　・ハム類
・プレスハム　・混合プレスハム　・ソーセージ　・混合ソーセージ
・ベーコン類　・畜産物缶詰及び畜産物瓶詰　・煮干魚類
・魚肉ハム及び魚肉ソーセージ　・削りぶし　・うに加工品
・うにあえもの　・うなぎ加工品　・乾燥わかめ　・塩蔵わかめ
・みそ　・しょうゆ　・ウスターソース類
・ドレッシング及びドレッシングタイプ調味料　・食酢
・風味調味料　・乾燥スープ　・食用植物油脂　・マーガリン類
・調理冷凍食品　・チルドハンバーグステーキ
・チルドミートボール　・チルドぎょうざ類　・レトルトパウチ食品
・調理食品缶詰及び調理食品瓶詰　・炭酸飲料　・果実飲料
・豆乳類　・にんじんジュース及びにんじんミックスジュース
・玄米及び精米　・しいたけ　・水産物

　食品は食品分類ごとに表示ルールが多少異なります。自社取扱い商品がどの分類に該当するかを調べ、その分類における名称・原材料名の表示ルールを調べます。その他の表示については横断的義務表示のルールに従って表示を作成します。

　該当する食品分類がなければ、横断的義務表示のルールのみに従って表示を作成します。

①商品の該当分類を調べる
　内閣府令「食品表示基準」の別表第三（第二条関係）
　（http://www.caa.go.jp/foods/pdf/150511_sanko1.pdfの71ページ～139ページ）で、まずは商品の該当分類を調べましょう。

↓

②該当分類における名称・原材料名の表示ルールを調べる

内閣府令「食品表示基準」の別表第四（第三条関係）（http://www.caa.go.jp/foods/pdf/150511_sanko1.pdfの139ページ〜221ページ）で、該当分類における名称・原材料名の表示ルールを調べましょう。

↓

③横断的義務表示のルールを調べる

内閣府令「食品表示基準」の横断的義務表示（第一章第三条）（http://www.caa.go.jp/foods/pdf/150511_sanko1.pdfの3ページ〜10ページ）で、横断的義務表示のルールを調べましょう。

そのほか、内閣府令「食品表示基準」（http://www.caa.go.jp/foods/pdf/150511_sanko1.pdf、全348ページ）には「特色のある原材料」「栄養成分」の表示ルールなどが記されています。

＜製造所固有記号制度＞

消費者庁に所定の届出を行ない、「製造者名・製造事業所住所」の表示に代えて「製造者名・本社住所」または「販売者・販売者本社住所」と「記号」を表示する制度を製造所固有記号制度といいます。

平成28年4月1日以降に届け出る一般用（市販用）商品には製造所固有記号を使用できません。ただし、例外として同じ製造会社の複数工場で製造する商品には使用できます。また業務用商品には従来どおり製造所固有記号を使用できます。経過措置として、平成28年3月31日までに消費者庁に従来ルールに沿った製造所固有記号を届け出た場合、従来ルールに沿った製造所固有記号を市販用商品にも平成32年3月31日まで使用できます。

＜栄養成分表示が免除される食品・事業者＞

「栄養成分表示」は義務ですが、免除規定があります。

・食品

　極めて短期間（3日以内）で原材料が変更される食品。ただし、6種類の日替わり弁当を毎週繰り返し販売するような場合は免除されず、表示が必要です。

・事業者

　関連会社全体での売上高が1,000万円以下の事業者。または、おおむね常時使用する従業員の数が20人（商業またはサービス業に属する事業を主たる事業として営む者については5人）以下の事業者。

■食品表示法に基づく栄養成分表示の例

例①

栄養成分表示　（100g　当たり）	
エネルギー	150　kcal
たんぱく質	1.8　g
脂質	0.4　g
炭水化物	35　g
食塩相当量	0.1　g
数値は日本食品標準成分表を用いて計算した、推定値です。	

例②

栄養成分表示　（100g　当たり）	
エネルギー	150　kcal
たんぱく質	1.8　g
脂質	0.4　g
炭水化物	35　g
食塩相当量	0.1　g
この表示値は、目安です。	

＜食品表示法（新法）の義務化予定日＞

・加工食品

　　市販用：平成32年4月1日以降に製造・加工・輸入されるもの

　　業務用：平成32年4月1日以降に販売されるもの

・生鮮食品

　　市販用：平成28年10月1日以降に販売されるもの

　　業務用：平成27年4月1日以降に販売されるもの（経過措置なし）

● 行政処分

行政処分には、指導、指示、公表、回収、業務停止命令といったものがあります。

＜処分を受けるまでの一連の流れ＞

巡回点検または通報〈実際はほとんど通報（内部告発・外部告発）〉→立入り検査（農林水産省・消費者庁または都道府県）→指導（農林水産省・消費者庁または都道府県）→指示（農林水産省・消費者庁または都道府県）→改善命令（農林水産省・消費者庁または都道府県）→罰則

＜違反のときの処分例＞

指導の内容→点検・指導（任意調査）・報告聴取・立入検査
・罰則
「安全性・産地に関わる表示違反」
　→個人：2年以下の懲役または200万円以下の罰金
　　法人：1億円以下の罰金
「行政の命令に従わなかった場合」
　→個人：3年以下の懲役もしくは300万円以下の罰金または併科
　　法人：3億円以下の罰金

このほか、東京都内で消費者向けに販売される「調理冷凍食品」「かまぼこ類」「はちみつ類」「カット野菜およびカットフルーツ」には、東京都が独自に追加の表示義務を課しています。

①**調理冷凍食品**
　　義務表示：原材料配合割合、原料原産地名
②**かまぼこ類**
　　義務表示：でん粉含有率、原材料配合割合
③**はちみつ類**
　　義務表示：品名、原材料の割合または重量
④**カット野菜およびカットフルーツ**

義務表示：加工年月日

くわしくは「東京都消費生活条例に基づく食品の品質表示について」（http://www.fukushihoken.metro.tokyo.jp/shokuhin/hyouji/files/2013_leafret.pdf）を参照ください。

(2) 食品表示関係法（既存法：JAS法・食品衛生法中の表示に関する法律・健康増進法中の表示に関する法律）

● 食品表示関係法（既存法）の趣旨と所管

食品表示関係法は「食品の素性を消費者に伝えるための法」です。食品表示関係法には3つの法があります。それは「JAS法」「食品衛生法中の表示に関するルール」「健康増進法中の表示に関するルール」です。

所管はそれぞれの法により分かれており、「**JAS法**」は農水省・消費者庁・都道府県で、「**食品衛生法中の表示に関するルール**」は保健所・厚生労働省・消費者庁で、「**健康増進法中の表示に関するルール**」は消費者庁・厚生労働省です。

①JAS法

JAS法は**品質表示基準**を定めています。順守すべき品質表示基準は、食品分類ごとに分かれています。自社取扱い商品がどの表示基準に該当するか確認し、順守に努めましょう。**「該当する品質表示基準」と「自社取扱い商品の表示」が合致していない場合、回収となることもあります**。ご注意ください。

品質表示基準は食品の分類ごとに異なります。自社取扱い商品がどの分類に該当するかを確認しましょう。品質表示基準は消費者庁のホームページに掲載されています。各品質表示基準のはじめには用語の説明表が掲載されています。その用語区分と自社取扱い商品とを照らし合わせ、該当するかどうかを個々の品質表示基準で確認してください。「この品質表示基準は該当する」と思ったら、印刷して読み込みましょう。

■品質表示基準一覧

基準名称	最終改正年月日
一般的に適用される品質表示基準	
生鮮食品品質表示基準	平成20年1月31日
加工食品品質表示基準	平成24年6月11日
遺伝子組換え食品に関する品質表示基準	平成26年12月25日
個別の生鮮食品に係る品質表示基準	
玄米及び精米品質表示基準	平成23年7月1日
水産物品質表示基準	（平成12年3月31日）
しいたけ品質表示基準	（平成18年6月30日）
個別の加工食品に係る品質表示基準	
●食料缶詰及び食料瓶詰	
農産物缶詰及び農産物瓶詰品質表示基準	平成23年9月30日
畜産物缶詰及び畜産物瓶詰品質表示基準	平成23年9月30日
調理食品缶詰及び調理食品瓶詰品質表示基準	平成23年9月30日
●飲料	
果実飲料品質表示基準	平成23年9月30日
炭酸飲料品質表示基準	平成23年9月30日
豆乳類品質表示基準	平成23年9月30日
にんじんジュース及びにんじんミックスジュース品質表示基準	平成23年9月30日
●食肉製品及び魚肉ねり製品	
ベーコン類品質表示基準	平成23年9月30日
ハム類品質表示基準	平成23年9月30日
プレスハム品質表示基準	平成23年9月30日
混合プレスハム品質表示基準	平成23年9月30日
ソーセージ品質表示基準	平成23年9月30日
混合ソーセージ品質表示基準	平成23年9月30日
チルドハンバーグステーキ品質表示基準	平成24年6月1日
チルドミートボール品質表示基準	平成24年6月1日
魚肉ハム及び魚肉ソーセージ品質表示基準	平成23年8月31日
●穀物加工品	
乾めん類品質表示基準	平成23年9月30日
即席めん類品質表示基準	平成23年9月30日
マカロニ類品質表示基準	平成23年9月30日
凍豆腐品質表示基準	平成23年9月30日
パン類品質表示基準	平成23年9月30日
●農産物及び林産物加工品	
農産物漬物品質表示基準	平成23年9月30日

1章◎食品に関する法律を知っていますか？

トマト加工品品質表示基準	平成23年 9 月30日
ジャム類品質表示基準	平成23年 9 月30日
乾しいたけ品質表示基準	平成19年11月 6 日
●水産物加工品	
うに加工品品質表示基準	平成23年 9 月30日
うにあえもの品質表示基準	平成23年 9 月30日
乾燥わかめ品質表示基準	平成16年 9 月14日
塩蔵わかめ品質表示基準	平成23年 9 月30日
削りぶし品質表示基準	平成20年 8 月 6 日
煮干魚類品質表示基準	平成23年 9 月30日
うなぎ加工品品質表示基準	平成23年 9 月30日
●調味料	
ドレッシング及びドレッシングタイプ調味料品質表示基準	平成23年 9 月30日
食酢品質表示基準	平成23年 8 月31日
風味調味料品質表示基準	平成23年 9 月30日
乾燥スープ品質表示基準	平成23年 9 月30日
ウスターソース類品質表示基準	平成23年 9 月30日
しょうゆ品質表示基準	平成21年 8 月31日
みそ品質表示基準	平成23年10月31日
めん類等用つゆ品質表示基準	平成23年 7 月 1 日
●油脂及び油脂加工品	
食用植物油脂品質表示基準	平成23年 9 月30日
マーガリン類品質表示基準	平成23年 9 月30日
●その他	
レトルトパウチ食品品質表示基準	平成23年 9 月30日
野菜冷凍食品品質表示基準	平成20年 1 月31日
チルドぎょうざ類品質表示基準	平成23年 9 月30日
調理冷凍食品品質表示基準	平成23年 9 月30日
個別の加工食品で原料原産地表示が義務づけられているものの品質表示基準	
＊上の品質表示基準と重複しますが、昨今産地表示に衆目が集まっていますので、消費者庁のホームページでも特記されています。	
野菜冷凍食品品質表示基準	平成20年 1 月31日
農産物漬物品質表示基準	平成23年 9 月30日
うなぎ加工品品質表示基準	平成23年 9 月30日
削りぶし品質表示基準	平成20年 8 月 6 日

（　　）は制定年月日

（消費者庁HPより　http://www.caa.go.jp/foods/kijun_ltiran.html）

● **行政処分**

行政処分には指導・指示・公表といったものがあります。

＜処分を受けるまでの一連の流れ＞

巡回点検または通報〈実際はほとんど通報（内部告発・外部告発）〉→立入り検査（農林水産省・消費者庁または都道府県）→指導（農林水産省・消費者庁または都道府県）→指示（農林水産省・消費者庁または都道府県）→改善命令（農林水産省・消費者庁または都道府県）→罰則

＜違反のときの処分例＞

指導の内容→点検・指導（任意調査）・報告聴取・立入検査
・罰則
　　個人：1年以下の懲役または100万円以下の罰金
　　法人：1億円以下の罰金

このほか、東京都内で消費者向けに販売される「調理冷凍食品」「かまぼこ類」「はちみつ類」「カット野菜およびカットフルーツ」には東京都が独自に追加の表示義務を課しています。

・**調理冷凍食品**
　　義務表示：原材料配合割合、原料原産地名
・**かまぼこ類**
　　義務表示：でん粉含有率、原材料配合割合
・**はちみつ類**
　　義務表示：品名、原材料の割合または重量
・**カット野菜およびカットフルーツ**
　　義務表示：加工年月日

くわしくは「東京都消費生活条例に基づく食品の品質表示について」（http://www.fukushihoken.metro.tokyo.jp/shokuhin/hyouji/files/2013_leafret.pdf）を参照ください。

②食品衛生法中の表示に関するルール

　食品衛生法中の表示に関するルールは「食の安全にかかわる表示上のルール」です。このルールでは、アレルゲン表示と食品添加物使用基準を定めています。

　アレルゲン表示については、**義務表示アレルゲンとして7種類（卵・乳・小麦・落花生・そば・えび・かに）**、推奨表示アレルゲンとして20種類（いくら・キウイフルーツ・くるみ・大豆・バナナ・やまいも・カシューナッツ・もも・ごま・さば・さけ・いか・鶏肉・りんご・まつたけ・あわび・オレンジ・牛肉・ゼラチン・豚肉）を指定しています。

●行政処分

　行政処分にもいろいろあります。どういった処分があるかというと、「回収指導、回収命令、担当部署のホームページにのみ掲載（限定的公表）、公表、改善指導、改善勧告、営業停止、営業禁止、営業許可取り消し、廃棄処分（廃棄命令、強制廃棄）、危害除去処置命令（取扱改善命令、販売禁止命令、使用禁止命令、回収及び移動禁止命令）、検査命令、始末書提出、てん末書提出」といったものがあります。

＜処分を受けるまでの一連の流れ＞

　監視・指導または通報→立入り検査（保健所の食品衛生監視員）→指導（保健所の食品衛生監視員）

＜違反のときの処分例＞

　営業停止・営業許可の取り消し（都道府県・政令指定都市）
　・罰則
　　個人：2年以下の懲役、または200万円以下の罰金
　　法人：1億円以下の罰金
　・監視・指導の内容→報告の要求・臨検・検査・収去（食品衛生監視員による）

③健康増進法中の表示に関するルール

健康増進法にもとづき「栄養表示基準」が定められています。また、健康保持増進の効果に関して誤認・誤解を与える表示をしてはいけないと定めています。

栄養表示基準制度とは、健康増進法第31条第1項にもとづき、販売する食品に栄養成分・熱量について何らかの表示を行なう場合、その栄養成分・熱量だけでなく、国民の栄養摂取の状況からみて重要な栄養成分・熱量についても表示することが義務づけられているほか、その表示が一定の**栄養成分・熱量についての強調表示である場合には、含有量が一定の基準を満たすことを義務づけた**制度です。

具体的な決まりごとは次のようなものです。

・表示すべき事項と表示順番

　栄養表示する場合には「**熱量（エネルギー）、たんぱく質、脂質、炭水化物、ナトリウム**」を必ず表示しなければなりません。たとえば、カルシウムを表示したい場合、「カルシウム」だけを表示してはいけません。「熱量、たんぱく質、脂質、炭水化物、ナトリウム、カルシウム」を表示しなければなりません。表示の順番もこの順です。

・強調表示の基準（42、43ページ参照）

　食物繊維・カルシウム等について「高」「含有」等を表示する場合や、熱量・脂質・コレステロール等について「無」「低」等を表示する場合には、満たしていなければならない基準があります。

・表示値の誤差許容範囲（44ページ参照）

　表示した値とその食品が実際に含む値との差。この差には許される範囲（誤差許容範囲）が決められています。

●罰則

50万円以下の罰金。

6か月以下の懲役または100万円以下の罰金（誤認誤解を与える違反表示をしていると勧告を受け、かつその勧告に従わなかった場合）。

■強調表示の基準－1

栄養成分	高い旨の表示をする場合は、次のいずれかの基準値以上であること 〔高、多、豊富、たっぷり〕 食品100g当たり（　）内は、一般に飲用に供する液状の食品100ml当たりの場合	100kcal当たり	含む旨又は強化された旨の表示をする場合は、次のいずれかの基準値以上であること 〔源、供給、含有、入り、使用、添加〕 食品100g当たり（　）内は、一般に飲用に供する液状の食品100ml当たりの場合	100kcal当たり
たんぱく質	15g（7.5g）	7.5g	7.5g（3.8g）	3.8g
食物繊維	6g（3g）	3g	3g（1.5g）	1.5g
亜鉛	2.10mg（1.05mg）	0.70mg	1.05mg（0.53mg）	0.35mg
カルシウム	210mg（105mg）	70mg	105mg（53mg）	35mg
鉄	2.25mg（1.13mg）	0.75mg	1.13mg（0.56mg）	0.38mg
銅	0.18mg（0.09mg）	0.06mg	0.09mg（0.05mg）	0.03mg
マグネシウム	75mg（38mg）	25mg	38mg（19mg）	13mg
ナイアシン	3.3mg（1.7mg）	1.1mg	1.7mg（0.8mg）	0.6mg
パントテン酸	1.65mg（0.83mg）	0.55mg	0.83mg（0.41mg）	0.28mg
ビオチン	14μg（6.8μg）	4.5μg	6.8μg（3.4μg）	2.3μg
ビタミンA	135μg（68μg）	45μg	68μg（34μg）	23μg
ビタミンB1	0.30mg（0.15mg）	0.10mg	0.15mg（0.08mg）	0.05mg
ビタミンB2	0.33mg（0.17mg）	0.11mg	0.17mg（0.08mg）	0.06mg
ビタミンB6	0.30mg（0.15mg）	0.10mg	0.15mg（0.08mg）	0.05mg
ビタミンB12	0.60μg（0.30μg）	0.20μg	0.30μg（0.15μg）	0.10μg
ビタミンC	24mg（12mg）	8mg	12mg（6mg）	4mg
ビタミンD	1.50μg（0.75μg）	0.50μg	0.75μg（0.38μg）	0.25μg
ビタミンE	2.4mg（1.2mg）	0.8mg	1.2mg（0.6mg）	0.4mg
葉酸	60μg（30μg）	20μg	30μg（15μg）	10μg

（消費者庁HPより）　　　　　　　　　　　　　　　（μg＝マイクログラム）

■強調表示の基準－2

栄養成分	含まない旨の表示をする場合は、次のいずれかの基準値に満たないこと [無、ゼロ、ノン] この基準値より値が小さければ「0」と表示可能 食品100g当たりの場合	一般に飲用に供する液状の食品100ml当たりの場合	低い旨の表示をする場合は、次のいずれかの基準値以下であること [低、ひかえめ、小、ライト、ダイエット] 〜より低減された旨の表示をする場合は、次のいずれかの基準値以上減少していること 食品100g当たりの場合	一般に飲用に供する液状の食品100ml当たりの場合
熱　　　量	5kcal	5kcal	40kcal	20kcal
脂　　　質	0.5g	0.5g (注1)	3g	1.5g
飽和脂肪酸	0.1g	0.1g	1.5g かつ飽和脂肪酸由来エネルギーが全エネルギーの10%	0.75g
コレステロール	5mg かつ飽和脂肪酸の含有量(注2) 1.5g かつ飽和脂肪酸のエネルギー量が10%(注2)	5mg 0.75g	20mg かつ飽和脂肪酸の含有量(注2) 1.5g かつ飽和脂肪酸のエネルギー量が10%(注2)	10mg 0.75g
糖　　　類	0.5g	0.5g	5g	2.5g
ナトリウム	5mg	5mg	120mg	120mg

（注1）ドレッシングタイプ調味料（いわゆるノンオイルドレッシング）について、脂質を含まない旨の表示については「0.5g」を当分の間「3g」とする。

（注2）1食分の量を15g以下と表示するものであって、当該食品中の脂質の量のうち飽和脂肪酸の含有割合が15％以下で構成されているものを除く。

■誤差許容範囲

栄養成分	表示単位	誤差許容範囲	例 表示	例 許容範囲
熱量	kcal	−20%〜+20%	100	80〜120
たんぱく質	g	−20%〜+20%	100	80〜120
脂質	g	−20%〜+20%	100	80〜120
炭水化物	g	−20%〜+20%	100	80〜120
ナトリウム	＊mg	−20%〜+20%	100	80〜120
飽和脂肪酸	g	−20%〜+20%	100	80〜120
コレステロール	mg	−20%〜+20%	100	80〜120
糖質	g	−20%〜+20%	100	80〜120
糖類	g	−20%〜+20%	100	80〜120
食物繊維	g	−20%〜+20%	100	80〜120
亜鉛	mg	−20%〜+50%	100	80〜150
カルシウム	mg	−20%〜+50%	100	80〜150
鉄	mg	−20%〜+50%	100	80〜150
銅	mg	−20%〜+50%	100	80〜150
マグネシウム	mg	−20%〜+50%	100	80〜150
ナイアシン	mg	−20%〜+80%	100	80〜180
パントテン酸	mg	−20%〜+80%	100	80〜180
ビオチン	μg	−20%〜+80%	100	80〜180
ビタミンA	μg	−20%〜+50%	100	80〜150
ビタミンB1	mg	−20%〜+80%	100	80〜180
ビタミンB2	mg	−20%〜+80%	100	80〜180
ビタミンB6	mg	−20%〜+80%	100	80〜180
ビタミンB12	μg	−20%〜+80%	100	80〜180
ビタミンC	mg	−20%〜+80%	100	80〜180
ビタミンD	μg	−20%〜+50%	100	80〜150
ビタミンE	mg	−20%〜+50%	100	80〜150
葉酸	μg	−20%〜+80%	100	80〜180

＊1000mg以上の場合はgで表示してもよい。
ただし、100g（ml）当たりの熱量が25kcal未満の場合は±5kcal、100g（ml）当たりのたんぱく質、脂質、炭水化物、糖質又は糖類の量が2.5g未満の場合は±0.5g、100g（ml）当たりの飽和脂肪酸の量が0.5g未満の場合は±0.1g、100g（ml）当たりのコレステロール又はナトリウムの量が25mg未満の場合は±5mgを誤差の許容範囲とする。（栄養表示基準別表第2第4欄）

3 不当な表示を取り締まる景品表示法

● 景品表示法の趣旨と所管

　景品表示法は「不当景品類及び不当表示防止法」の略称です。さらに略して「**景表法（けいひょうほう）**」ともいいます。
「不当な表示や過大な景品類の提供を厳しく規制し、公正な競争を確保することにより、消費者が適正に商品を選択できるようにするための法」です。

　この場合の「表示」は、食品衛生法と食品表示法における表示とは意味が異なります。食品衛生法と食品表示法における表示とは、パッケージやPOPなどの「書いた」文字あるいは絵柄を指します。

　一方、景品表示法における「表示」とは、**「顧客を誘引するための手段」**全般を指し、書かれた文字や絵柄だけでなく、**「口で言ったこと（口頭説明）」**も含まれます。

　実際の商品より優良に見せかけようとする「悪意」があった場合はもちろんですが、結果として消費者が誤解すれば、それをもって「不当表示」と判断されます。

　消費者が実際より優良と誤認したか否かが判断基準です。あくまで「消費者がどう思ったか・感じたか」です。

　所管は消費者庁です。

　駆け引きが通じる相手ではありませんので、消費者庁の景品表示法所管機関から連絡が来たなら、表示の妥当性を示す合理的根拠資料を提出できる可能性はきわめて低いでしょう。業者にとっては「手強い」お目付け役ですが、消費者からすれば「心強い」番人です。

■「景品表示法違反」事件の流れ

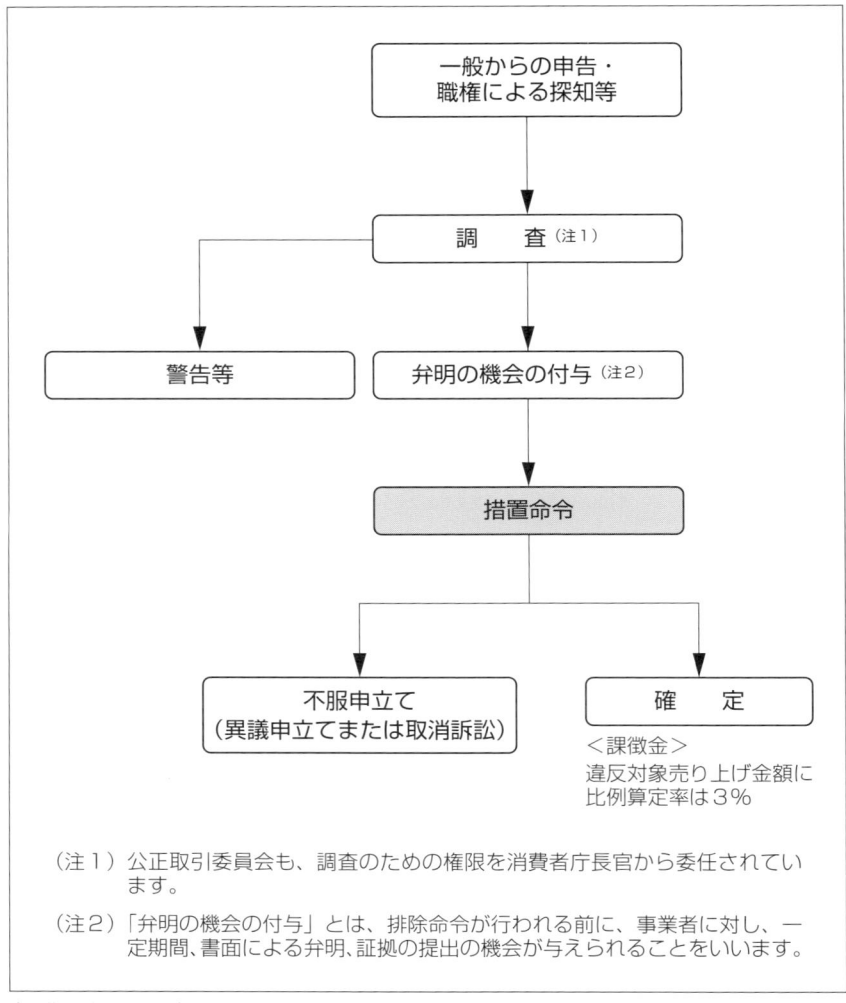

```
         ┌─────────────────┐
         │ 一般からの申告・    │
         │ 職権による探知等    │
         └─────────────────┘
                  ↓
         ┌─────────────────┐
         │    調    査 (注1) │
         └─────────────────┘
           ↓              ↓
    ┌──────────┐   ┌──────────────┐
    │  警告等   │   │ 弁明の機会の付与(注2)│
    └──────────┘   └──────────────┘
                           ↓
                   ┌──────────────┐
                   │   措置命令    │
                   └──────────────┘
                      ↓         ↓
         ┌──────────────────┐  ┌──────────┐
         │   不服申立て      │  │  確  定   │
         │(異議申立てまたは取消訴訟)│  └──────────┘
         └──────────────────┘   <課徴金>
                                違反対象売り上げ金額に
                                比例算定率は3％
```

（注1）公正取引委員会も、調査のための権限を消費者庁長官から委任されています。
（注2）「弁明の機会の付与」とは、排除命令が行われる前に、事業者に対し、一定期間、書面による弁明、証拠の提出の機会が与えられることをいいます。

（消費者庁HPより）

▶ 行政処分

　行政処分には、「**注意**」「**警告**」「**措置命令**」があります。
　景品表示法違反（優良誤認などの不当表示）の疑いがある場合、消費者庁は当該事業者を事情聴取し、また関連資料の有無・正当性などを調

査します。

　その結果、違反と判断した場合、「不当表示によって一般消費者に与えた誤認の排除（公表・謝罪など）」「再発防止策の立案・実施」「今後同様の違反をしないこと」などを命じる「措置命令」を事業者に対して出します。

　また、厳密に違反とまではいえない場合でも、「違反のおそれがある」場合には「警告」、「違反につながるおそれがある」場合には「注意」を事業者に対して出します。

　景品表示法の取り締まりは、都道府県知事も権限を有しています。しかし、積極的な取り締まりは過去に聞いたことがありません。真面目に取り締まりをして違反事業者を公表すれば自都道府県産品への風評被害を自ら呼び込むことになるかもしれませんので、都道府県が取り締まるとしても外圧で泣く泣く取り締まる程度でしょう。

4 内容量の許容範囲を決める計量法

● 計量法の趣旨と所管

　計量法は「計量の基準を定め、適正な計量の実施を確保するための法」です。**所管は消費者庁・経済産業省**です。食品以外の灯油・油性塗料・皮革なども規定していますが、食品以外の解説は割愛します。

　計量法には、食品包装に表示する「**原材料一括表示欄**」の内容量を重量（グラム、キログラム）や容量（ミリリットル、リットル）で表示している場合、「**表示の重量・容量**」と「**実測の重量・容量**」との差について**許容範囲**が示されています。

　表示量より実測量が許容範囲を超えて多すぎた場合には計量法違反にはなりません。また、消費者としては「もうけた！」「ラッキー！」と思う人が多いでしょうから、多すぎても苦情をいう消費者は少ないでしょう。しかし、食事量を厳密に管理している方、たとえば糖尿病の方などもいるので、「多い分にはかまわないだろう」という考えはいけません。

　また、商品に栄養成分表示をしており、その表示が「１個当たり」の栄養成分値であれば、栄養表示の値が栄養表示基準の許容範囲を超えてしまう可能性があります。そうなれば違反になってしまいます。

　さて、「自社製品の重量・容量の許容範囲はどうなっているのか」についての疑問に答える「法の読み方」を紹介しましょう。

　たとえば、「さんまのみりん干し　内容量800ｇ」の場合、次ページ表のように「特定商品の販売に係る計量に関する政令」第５条12別表第１の特定商品16の「（2）乾燥し、又はくん製したもの、冷凍食品（加工した水産動物を凍結させ、容器に入れ、又は包装したものに限る。）及びそぼろ、みりんぼしその他の調味加工品」に該当します。

　この表の右側に「表２」と書かれており、内容量800ｇの場合は、表２の「500グラムを超え1.5キログラム以下」に該当しますので、その表

■「特定商品の販売に係る計量に関する政令」の第5条12別表第1（抜粋）

特定商品	特定物象量	別表第2の表	上限
16　魚（魚卵を含む）、貝、いか、たこその他の水産動物（食用のものに限り、ほ乳類を除く。）並びにその冷凍品及び加工品			
（1）生鮮のもの及び冷蔵したもの並びに冷凍品	質量	表2	5キログラム
（2）乾燥し、又はくん製したもの、冷凍食品（加工した水産動物を凍結させ、容器に入れ、又は包装したものに限る。）及びそぼろ、みりんぼしその他の調味加工品	質量	表2	5キログラム

■「表2」の内容

表示量	誤差
5グラム以上50グラム以下	6パーセント
50グラムを超え100グラム以下	3グラム
100グラムを超え500グラム以下	3パーセント
500グラムを超え1.5キログラム以下	15グラム
1.5キログラムを超え10キログラム以下	1パーセント

の右に書いてある（誤差）上限は15グラムとなります。

つまり、「さんまのみりん干し　内容量800ｇ」と表示した場合、実測のグラム数は「785〜815g」の範囲でなければいけないということになります。

▶ 行政処分

行政処分には、**勧告**、勧告に従わなかった場合は**公表**、勧告に従わなかった場合に勧告に従うことを**命令**、があります。**勧告→公表・命令**の順です。計量法違反は、事業者の包装時のミスによって起こることはありますが、故意に行なうということはちょっと考えにくいでしょう。

5 産地偽装を取り締まる不正競争防止法

● 不正競争防止法の趣旨と所管

　不正競争防止法が食の安全に関して問題となるケースは、産地偽装が主たるものです。

　福島第一原発事故以前は食品事業者逮捕事例のほぼ100％が産地偽装でした。しかし、事故後は産地偽装の取り締まりを国が緩めている印象を私は持ちます。産地偽装を国が積極的に取り締まれば、風評被害を誘発する可能性がありますので慎重を要するのでしょう。

　産地偽装は詐欺罪、不正競争防止法違反のどちらにも該当しそうですが、実際は詐欺罪での立件はなく、食品表示法施行（平成27年4月1日）以前は不正競争防止法違反での立件のみでした。
「不当に利益を得るために産地間の価格差を利用して売り先をだました」と立証するのはむずかしく、また実際は、○○産では（価格の問題ではなく）売れないために、物をさばくため、あるいは納入先の産地指定要望に応えるために産地を偽るのでしょう。

　不正競争防止法は「不正を行なう事業者を取り締まる法」「不正によって他の事業者が不利益を被らないようにする法」です。

　正確には「事業者間の公正な競争およびこれに関する国際約束の的確な実施を確保するため、不正競争の防止および不正競争に係る損害賠償に関する措置等を講じ、もって国民経済の健全な発展に寄与することを目的とする法」です。**所管は消費者庁・経済産業省です。**

　虚偽表示などの不正な行為や不法行為（民法第709条）が行なわれると、真っ当な事業者は不利益を被ります。また不正な食品が出回ると消費者も安心して買い物ができません。

＊不法行為（民法第709条）……故意または過失によって他人の権利または法律上
　保護される利益を侵害した者は、これによって生じた損害を賠償する責任を負う

このように民法では損害賠償請求は規定していますが、差し止め請求は原則規定していません。賠償金は取れても不正を止めさせられない、ということです。それでは「ただ地団駄踏んで見ているしかないのか」というとそうではなく、"正義の味方"である不正競争防止法のおかげで**不正を差し止める・やめさせることができる**わけです。現在は食品表示法で産地偽装を罰することも可能となっています。

　不正競争防止法の第2条に「原産地等誤認惹起行為」（第13号）として、概略以下のように規定されています。

「商品その広告・取引用の書類・通信に、その商品の原産地・品質・内容・製造方法・用途・数量について誤認させるような表示を使用する行為（食品以外に関する文面は割愛しています）」

　大半の調理を大型機械で行ないながら、一部の手作業をもって「手作り」と表示して販売する行為はこれにあたるでしょう。

▶ 行政処分（罰金）

　5年以下の懲役もしくは500万円以下の罰金に処し、またはこれを併科する、となっています。法人に対しては3億円以下の罰金刑です。

　詐欺罪（刑法246条）について少し触れておくと、詐欺罪とは、人をだましてお金や物を出させる犯罪です。詐欺未遂も罰せられます。

　食品産地偽装は、不正競争防止法違反・食品表示法違反で立件されても、詐欺罪で立件されるケースはまれです。「産地偽装で不当に得た利益の額が小さい」というのが、その主な理由です。したがって巨額な不当利益を懐に入れた場合にはこの罪に問われます。

　詐欺罪についての罰則は、「人をあざむいて財物を交付させた者は、10年以下の懲役に処する」となっています。

6 その他の食品業者にかかわる法律

● 薬事法

　所管は消費者庁・厚生労働省・都道府県庁。健康食品は「普通の食品よりも健康に良い食品」という意味です。医薬品ではありませんので「病気が治る」とうたうことはできません。食品に医薬品と誤認させるような表現があった場合、医薬品としての承認や許可を取得せずに販売をしたと判断され、**薬事法違反**となります。

●行政処分（罰則）

　3年以下の懲役もしくは300万円以下の罰金に処し、またはこれを併科する、となっています。

● 健康増進法

　国民の健康維持と現代病予防を目的として制定された法律です。特定給食（学校給食や病院給食など）に食品を売るときには「栄養成分の値を必ず連絡する」ことと健康増進法で定められています。一般的には、栄養成分値を表にまとめた「栄養成分表」を納品先に提出します。値は実測値または計算値です。

● 製造物責任法（PL法）

　製造業者などが製造・加工・輸入または一定の表示をし、引き渡した製造物の欠陥により、他人の生命・身体または財産を侵害したとき、**過失の有無にかかわらず、生じた損害を賠償する責任**があることを定めた法律です。

　製造物自体の損害のみであれば、民法の瑕疵（かし）担保責任・債務不履行責任を論拠とした賠償にとどまります。精神的苦痛を受けた、と

いうことについては微妙です。

　製造物に氏名を表示した事業者も請求先となるという見解が消費者庁ホームページに記されていますので、**販売者のみ記された食品では、販売者も対象となります。**

　食品の商取引で**PL保険に加入していること**が取引上のリスク軽減策として求められますので、自社のリスク管理・取引先からの要望で加入するのが普通です。後は費用対効果、賠償額と保険料の釣り合いをとるだけです。

2章

食品関連法を守るための実務手順

1 法令順守の心構え

「おい、うちの会社の商品、大丈夫だよな？」「……たぶん」。普段、社員同士の会話はこんなものでしょう。「問題ありません」と即答できる人はともかく、「たぶん大丈夫なはずだ」と多少不安に思うくらいが、こまめに法と照らし合わせて確認する分、大失敗はしないでしょう。

食品関連法は守ろうと努めても、ときには違反してしまうものです。まして日頃から法律を意識していなければ、何らかの違反が常態化している可能性はあります。

そういう私も実のところ、あまり立派なことはいえません。食品関連法について質問を受けた場合、即答できないことが結構あります。「確か、法律上は○○とするのが正しいはずですが……。すいません、確認してから折り返し連絡します」。関連法が頭にすべて入っているわけではありません。「わからない」ということがわかっていれば必要なときに調べればいい、そう思っています。

「消費者の信頼に応える」＝「善良に営業する」＋「食品関連法を熟知する」ですが、「善良に営業してますか？」と聞かれれば胸を張って「はい！」と即答できる人でも、「食品関連法を熟知していますか？」と問われると口ごもる人も多いでしょう。

「食品関連法を熟知する」には時間がかかります。また、法律の改正・追加も毎年のように行なわれています。

そこで、当面ざっくりと「自社製品・商品に違反・間違いがあるかないか」を判断する方法として、**他社の類似商品を数点購入して「表示を比較」**してみるのが現実的な方法です。その後に、食品関連法を知るための労をかける、というのが私のお勧めです。

● 守るべき法を知る──危機管理の第一歩

法令順守の第一歩は、「守るべき法律は何か？」ということをまず知ることです。

食品衛生法・食品表示法（新法）および食品表示関係法（既存法）・景品表示法は知る必要があります。まず法律の名称を覚えましょう。小規模の食品メーカーでは「食品衛生法では、こういう場合は○○することになっています」「食品表示法では、こういう場合は……です」。そう社長さんにいうと「食品衛生法？」「食品表示法？」という表情をされることがあります。

たとえ衛生面や食品表示にからむ実務を従業員に任せている社長であっても、食品関連の法律概要は知っている必要があります。
「会社のトップが食品関連の法律の精神・概要を知らない」ということは、外部の人からすれば「経営者なのに、守るべき法律の概要も知らないの？　この会社の商品、大丈夫？」、そんな不安を与えかねません。

● 何のための法かを知る（存在理由を知る）

なぜそういう法律が存在するのか、なぜ守らないといけないのか、をざっと知っておきましょう。簡単にいえば、**食品衛生法は「食の安全のための法」**、**食品表示法（新法）・食品表示関係法（既存法）は「食の安心のための法」**です。

法律は改正が重ねられて現在に至っていますが、必要に応じて今後も改正が行なわれるでしょう。しかし、考え方の基本線は変わりません。違反を取り締まる行政が手綱をどう扱うか、その運用・適用は行政の裁量次第で、民間側からすれば実際、運次第というところもあります。

行政の裁量を変えることはできませんが、運は必ずしも他力本願ではありません。できることには手を打ちましょう。

● 各法の概要を知る

「それぞれの法律はどの省庁が監督するのか」「地方自治体のどの部局が監督するのか」を知り、その法律の概要を知りましょう。

食品関連法の指導・監督行政は縦割りでしたが、さまざまな弊害・事件を経て消費者庁が創設され、いまは一元化への途上にあります。事業者にとって利便性は格段に高まりましたが、質問の仕方・巧拙によって得られる回答は異なります。

　結局のところ、食品の法律全体を網羅しようと思えば、自分で調べなければなりません。まずは食品関連法の全体像をつかんでください。

▶ 現在の法律に照らして食品を点検する

　各法に照らして、自社の扱う食品が法律に違反していないか点検しましょう。

　私が常に意識している法律は、前述した**食品衛生法・食品表示法（新法）および食品表示関係法（既存法）・景表法**です。これらの法を意識していれば普通大丈夫です。

　発売してから年月が経っている商品の表示は、いま現在の法律に合っていないことがあります。発売のときに点検すれば、それ以降点検する必要はないというものではありません。

▶ 白・黒・グレーに分ける

　自身で点検し、白・黒・グレー（正しいのか間違っているのか判断できない）の3つに分類しましょう。

▶ グレーの白黒をはっきりさせる

　白黒がはっきりしない、というのは何となく気持ちが落ち着かないものです。不安・疑問はため込まないほうが精神衛生上もいいでしょう。自分自身がグレー（あやふや）に思うことは、外部視点では黒と判断されます。

　グレー分類が、実際のところ正しいのか間違っているのか、その判断・間違っている場合の穏当な是正方法については、信頼のおける仕入れ先の食品関連法にくわしい営業の人にそっと教えてもらいましょう。

　既存の商品について堂々と監督行政機関に問い合わせるのは、相当勇

気がいります。「それは間違いです。○○法に違反します。回収する必要があります」、そういわれる可能性もあります。

違反しているなら、もちろん商品を回収するのが正当な方法です。しかし、「本当に違反なのか？」を判断する情報が正確に先方に伝わったかは疑問です。

私が相談を受けた事例でも、相談相手からはじめに聴いた情報だけで判断すると「違反」、しかし、くわしくあれこれ質問を変えて得た重層的情報から判断すると「違反ではない」という結論に至ったこともあります。

ざっくばらんに相談できる相手なら、判断する・回答するために必要な周辺情報も共有できますので、正確な情報にもとづいた正確な判断がくだせます。

▶ 黒を白に是正する

黒を白に是正するというと、非常にあやしい話のようですが、そうではありません。違反といっても「緊急に公表・回収を要する違反」から「消費者に不利益を与えていない表示の誤字・脱字」までさまざまです。「法に照らして正しくはない＝間違いがある」商品をすべて回収しなければならないとしたら、社会が混乱します。毎日、回収回収で新聞紙面は埋め尽くされるでしょうし、所管の行政官も流通にかかわる人たちも過労で倒れてしまいます。

▶ 法に照らした点検実施にはタイミングがある

商品は、毎日点検するに越したことはありません。そうはいっても毎日点検するのは現実的には無理でしょう。

では、どのくらい間隔をあけて点検すればいいでしょうか？　点検する時期にもタイミング・適切な時期というものがあります。

たとえばパッケージ・ラベルの表示の点検では、パッケージ・ラベルの在庫が少なくなったら表示を点検し、修正・是正する点が見つかれば、在庫が切れる前に新しいパッケージ・ラベルをつくって切り替える、そ

59

ういった段取りが必要です。

　ただし、健康危害の可能性がある間違い・回収を要する間違いについては、そんな悠長なことをしていられません。即、販売中止・回収が妥当です。

　また「季節商品なのでパッケージ・ラベルを数年先まで使いたい」ということであれば、改正法の猶予期限も念頭に置いて既存デザインでの発注量を調整するとよいかもしれません。

2 食品関連法上の業務の実務手順

　食品メーカーの方から「直売でお客様から好評なので販路を広げたいが、その場合、どういう準備が必要なのか？」と問い合わせを受けることがあります。

　そういう場合、商法上のことと別に品質保証上、必要なことをお教えしています。同一行政区内で製造・販売している場合、食品関連法上とやかく監視を受けることはあまりありません。行政側も自行政区内で、ある程度製造・販売が完結するため、万一問題が起こった場合でも迅速に対処できると考えてのことかもしれません。

　一方、自行政区内で製造し他都道府県の実店舗で販売するとなると、ちょっと話が違ってきます。販売した商品に**規格基準違反・異物混入・食味異常・表示違反**など、何らかの問題が発生した場合、「販売店舗の住所を所管する行政」から「製造者の住所を所管する行政」に連絡が回り、複数の行政区がからむことになります。

　この場合、「製造者の住所を所管する行政」の監督責任がまず問われることになりますので、行政も力が入るでしょう。

　したがって販路を広げるに当たっては、それなりの準備をすることが求められます。業務の順に挙げると、「原材料規格書取り寄せ」「自社書式による商品規格書作成」「商品の栄養成分表作成」「商品の賞味期限根拠資料作成」「商品の定期細菌検査」「チェックシート（製造日報）の整備」「工場の衛生状況改善」といったところです。

　これらについて順を追って説明してみましょう。

▶①原料メーカーから「原材料規格書」を取り寄せる

　これは必須です。直近1年以内の日付で発行された書類を原料メーカーから取り寄せて、保管してください。製品の正確な食品表示を作成する

61

■ 原材料規格書の例

2015年6月20日

○○○株式会社　御中

△△△△△株式会社　印

原 材 料 規 格 書

1、製品名：○○○醤油　　　　　　2、包装形態：一斗缶(18リットル入)

3、賞味期限：製造日から12ヶ月　　4、保存方法：直射日光を避け、常温で保存

5、原材料配合表

原材料名	配合(%)	原材料の産地	遺伝子組換え農産物	アレルゲン情報
脱脂大豆	25.0	米国	大豆：分別(不使用)	大豆
小麦	20.0	米国		小麦
食塩	15.0	日本		
水	35.0	日本		
アルコール	5.0	日本	とうもろこし：不分別	

6、本品を使用した場合の表示例：醤油(大豆、小麦を含む)　← 正しい表示を作成するために必要な情報です。

7、製品規格

項目	規格
一般生菌数	10,000／g以下
大腸菌群	陰性
耐熱性菌数	300／g以下

9、備考

産地については原料事情により変更になる可能性があります。

8、栄養成分(参考値)

項目	100g当たり
エネルギー	71 kcal
水分	67.1 g
たんぱく質	7.7 g
脂質	0 g
炭水化物	10.1 g
灰分	15.1 g
ナトリウム	5,700 mg
食塩相当量	14.5 g

日本食品標準成分表(五訂増補)から引用

のに必要でもありますし、商品の表示適正を証明する根拠資料ともなりますので、これは欠かせません。

製品を納品する先からも提出を求められることがあります。提出を求められたときに、ただちにＦＡＸ送信できないようですと、不信を買うことにもなりかねません。

▶ ②自社書式による「商品規格書」を作成する

商談先の卸業者・販売業者が独自書式の商品規格書を用意していて、その書式に記入して提出するよう求められる、それが一般的です。

しかし、商談先が独自書式を持っていない場合は、商談の予約を取り付けるために、自社書式の商品規格書をまずは提出しましょう。商品規格書を提出しなくては商談予約は取れません。

86～87ページに書式のサンプルを掲載しました。この書式を参考に自社の「商品規格書」をつくってください。

▶ ③商品の「栄養成分表」を作成する

検査機関に検査依頼して実測した栄養成分値で作成する「**実測値**」か、食品の標準的栄養成分値の一覧表が掲載されている『日本食品標準成分表（五訂増補）』（文部科学省）をもとにした「**計算値**」で栄養成分表を作成しましょう。

平成32年３月31日までに製造・加工する食品に栄養成分を表示する義務はありません。参考値として取引先から提出を求められた場合は、計算値でも可という例が多いので、その場合は「計算値」で栄養成分表を作成し、提出しましょう。

学校給食や病院給食に商品を納める場合には、栄養成分を必ず知らせなければなりません。栄養士さんが弁当や給食の献立を考える際に必要です。参考までに簡易な栄養成分計算表の例を次ページに記載します。

原料の栄養成分値は『日本食品標準成分表（五訂増補）』から代入します。

■**栄養成分計算表の例** （**太枠**内は『日本食品標準成分表（五訂増補）』から代入）

商品名：美味しい〜食品（さんま佃煮）

原料名	さんま	濃口醤油	白砂糖	めんつゆ	清酒	みりん	合計
原料使用量（g）	6000	800	500	300	200	200	100%
製品中の%①	75	10	6.25	3.75	2.5	2.5	
100g 中の各原材料のエネルギー（kcal）②	310	71	384	98	103	241	商品 100g 中のエネルギー（kcal）
計算式：①×②／100	232.5	7.1	24	3.7	2.6	6.0	276
100g 中のたんぱく質（g）③	18.5	7.7	0	4.5	0.4	0.3	商品 100g 中のたんぱく質（g）
計算式：①×③／100	13.9	0.8	0	0.2	0	0	14.9
100g 中の脂質（g）④	24.6	0	0	0	0	0	商品 100g 中の脂質（g）
計算式：①×④／100	18.5	0	0	0	0	0	18.5
100g 中の炭水化物（g）⑤	0.1	10.1	99.2	20	3.6	43.2	商品 100g 中の炭水化物（g）
計算式：①×⑤／100	0.1	1.0	6.2	0.8	0.1	1.1	9.3
100g 中のナトリウム（mg）⑥	130	5700	1	3900	4	3	商品 100g 中のナトリウム（mg）
計算式：①×⑥／100	98	570	0	146	0	0	814
100g 中の食塩相当量（g）⑦	0.3	14.5	0	9.9	0	0	商品 100g 中の食塩相当量（g）
計算式：①×⑦／100	0.2	1.5	0	0.4	0	0	2.1

④商品の「消費期限・賞味期限」の根拠資料を作成する

　消費期限は「製造または加工日を含めておおむね5日以内に品質が急速に劣化しやすい食品に表示」し、賞味期限は「5日より長く品質が保たれる食品に表示」します。消費期限を過ぎた食品を販売した場合、食品衛生法違反に問われる可能性が高く、一方、賞味期限を少し過ぎた程度の食品を販売しても、ただちに食中毒を起こすとは考えにくいので、食品衛生法違反に問われないこともあります。

　自社製品を微生物検査せずに、業界ガイドラインをもとに消費期限・

賞味期限を決めている事業者もあります。業界ガイドラインとは、一例をあげると、日本醤油協会が「しょうゆの日付表示に関するガイドライン」を出しており、賞味期限までの期間を「プラスチックボトル入りのこいくちしょうゆが18か月」「プラスチックボトル入りのうすくちしょうゆが12か月」と標準的な期間を提示しています。

また販路を広げる場合には、取引先から自社製品個別の客観的根拠を求められます。具体的には「製造日」「賞味期限日（または消費期限日）」「賞味期限日（または消費期限日）×1.5」の最低3回の微生物検査結果と官能検査（食味検査）結果を一覧表にした根拠資料（日持ち検査表）が必要です。

検査項目は一般的には「一般生菌数」と「大腸菌群」ですが、商品特性によって異なります。海産物であれば「腸炎ビブリオ」、畜産物なら

■日持ち検査表の例

2015年5月20日
△△県○○市
□□町1丁目2-3
有限会社　○○食品

商品名「　美味しい～食品　」日持ち検査表

製造者：有限会社　○○食品
製造日：2015年5月8日

検査項目 検査日	食味検査	一般生菌数 (/g)	大腸菌群 (/0.1g)	検査方法
製造当日 (2015年5月8日)	良好	<300 (2)	陰性	食品衛生検査指針に準拠
D+7 (2015年5月15日)	良好	1.5×10^3	陰性	食品衛生検査指針に準拠
D+10 (2015年5月18日)	良好	3.8×10^3	陰性	食品衛生検査指針に準拠

保管条件：10℃で保管

検査使用培地
　　　一般生菌数……標準寒天培地
　　　大腸菌群……デソキシコレート寒天培地

「サルモネラ」といった検査が加わります。検査項目については、検査を依頼する検査機関に教えてもらうとよいでしょう。

▶ ⑤商品の定期微生物検査を実施する

　食品の製造工程の衛生状況は日々変わります。そのため製品の微生物検査は定期的に行ない、安定しているかどうか確認することが求められます。

　10年くらい前は納品先から「半年以内に行なった製品の微生物検査を提出してください」という程度でしたが、最近は「１か月以内の検査結果を」「製造当日の検査結果を」という要求も増えています。

　品質苦情など何かあったときのためにも、定期的に微生物検査をする、あるいは検査依頼をするのが無難です。

▶ ⑥チェックシート（製造日報）を整備する

　製品納入先から製品が適正に製造されたものかどうか確認を求められることもあります。そのときには、製造工程で適正に製造されたことを確認した**チェックシート（製造日報）のコピーを提出**するとよいでしょう。そのためにHACCP（ハサップまたはハセップ）に準拠したチェックシートを作成し、製造工程ごとに記入しましょう。

　具体的には、加熱工程があれば加熱温度・冷却温度記録、その他に製品重量記録、賞味期限日付確認記録などです。

　次ページのものがチェックシートの例です。これは宮城県が小規模メーカーでも使いこなせるように作成したひな形の一部です。

　全体のひな形は、宮城県のホームページ中の『みやぎ食品衛生自主管理登録・認証制度「手引書」２』（http://www.pref.miyagi.jp/soshiki/syoku-k/tebiki.html）から印刷することができます。参考にしてください。自社所在地の都道府県・政令指定都市で同じような手引書がある場合、そちらを参照してください。

　実際、適正な製造が行なわれていても、記録がなければ適正であるかどうかを他者に証明できませんので、万が一、品質苦情があったときに

■チェックシート（製造日報）の例

記録表第13号　　　　食品の加熱加工の記録表　　○○ 年 ７ 月 ３ 日
　　　　　　　　　　　　　　　　　　　　　　　責任者　カトウ

品目名		No.1			No.2（No.1で設定した条件に基づき実施）	
鶏唐揚	①油温	180 ℃			油温	176 ℃
	②調理開始時刻	9：20			No.3（No.1で設定した条件に基づき実施）	
	③確認時の中心温度	サンプルA	82 ℃		油温	185 ℃
		B	80 ℃		No.4（No.1で設定した条件に基づき実施）	
		C	83 ℃		油温	― ℃
	④③確認後の加熱時間	1分			No.5（No.1で設定した条件に基づき実施）	
	⑤全加熱処理時間	5分			油温	― ℃

品目名		No.1			No.2（No.1で設定した条件に基づき実施）	
鶏肉照焼	①調理開始時刻	10：30			確認時の中心温度	79 ℃
	②確認時の中心温度	サンプルA	76 ℃		No.3（No.1で設定した条件に基づき実施）	
		B	78 ℃		確認時の中心温度	80 ℃
		C	76 ℃		No.4（No.1で設定した条件に基づき実施）	
	③②確認後の加熱時間	1分			確認時の中心温度	75 ℃
	④全加熱処理時間	9分				

品目名		No.		
五目煮	①確認時の中心温度	サンプル	86 ℃	
	②①確認後の加熱時間	10分		
八宝菜	①確認時の中心温度	サンプルA	93 ℃	
		B	91 ℃	
		C	90 ℃	
	②①確認後の加熱時間	30秒		

改善措置	なし

確認者	佐藤	伊藤	加藤
確認印（サイン）	さとう	イトウ	カトウ
確認日	7/3	7/3	7/3

※黒枠部分に記入すること
※Noは使用する釜の番号とすること

2章 ◎ 食品関連法を守るための実務手順

説明に窮することになります。

　また小規模メーカーは、クレームが発生した場合、その再発防止策として、製造の記録表兼点検表（チェックシート）用紙に毎日記入することを求められることがあります。クレームで迷惑をかけた納品先から要求されて、チェックシートの整備にとりかかるというケースも多いようです。

　外圧がきっかけであっても、製造管理のレベルアップができれば法令順守に厳格な企業との取引チャンスも生まれますので、販路の選択肢が広がります。

▶ ⑦工場の衛生状況を改善する

　商談で納品交渉先が工場を視察にくる場合もあります。そのときに、あまりに改善指摘を受けるようだと商談がうまく運びません。消費者感覚・苦情に敏感な納品先は、法令・異物混入・食品衛生に鋭い視線を向けますので、それに耐えうる体制を整えましょう。

　体制を整えるといっても、設備を改修・更新・購入するのではなく、**当面は作業手順・従業員教育**といったソフト面の改善・整備に努めればいいでしょう。最初からハード面（設備面）も整備しようとすると、資金的に厳しいものがあります。納入先の要望・要求をにらみながら、徐々にそれにどう応えていくべきか、考えていきましょう。設備面の充実は極力抑える、それが無難です。

　ただし、**金属異物混入の有無点検**を納入先から求められることがありますので、金属検出機は自社で購入するか、他社の設備を借りるか何らかの対応は考えましょう。

▶ ⑧風評被害による「販売不振回避文書」を作成する

　ちょっと先走りですが、風評被害はいつなんどき押し寄せてくるかわかりません。そういう事態が起こったときに、**どういう対応・対策をすべきか考えておくことはムダにはなりません。必ず役立ちます。**

　想定はむずかしいですが、**他業界の実例は格好の教材**です。どういう

風評被害に対して各企業がどういう対応をしているか、量販店の売り場の変化などから読み取りましょう。自社が当事者になってはじめて、一から対応策を考えるのでは、対応が遅れ、損失を大きくしてしまいます。

3 品質保証と品質管理の実務の概要

　品質保証とは「消費者がその商品に期待する特性・安全性を保証する」対外的仕事で、品質管理とは「製造者が決めた商品特性・安全性が保たれるよう管理する」対内的仕事です。

　品質保証は商品の開発段階からその仕事がはじまりますが、品質管理は商品の開発終了時点から仕事がはじまります。

　製造者における品質管理は、製品の特性が一定の範囲内でおさまるようにし、不良品ができないように、また出荷されないようにするものです。

　販売者における品質管理は商品の特性が損なわれないように、また安全性が低下しないようにするものです。

　品質保証は「対外的に商品の品質について責任をもち、対外説明および対外処理にあたる」のがその役割です。

　品質管理は「決められた検査項目を検査し、その検査結果があらかじめ設定した許容範囲内におさまっているか確認する。そして検査結果が許容範囲をはずれた場合は、その製品を出荷止めにする。その上で、なぜ許容範囲を外れたか、その原因を調査し、原因を特定し改善ないし、改善指示する」のがその役割です。

　小規模メーカーの場合は、品質保証と品質管理の区別なく1人で両方を受け持つのが普通で、オーナー経営者自身がこの役割を担う場合もあります。

▶ 小規模メーカーの品質管理

　品質管理は、商品が設計どおりにできるよう管理する仕事です。大手企業の場合は、原料が指定したとおりの品質を満たしているか、工場での製造条件が設定どおりであるか、製品が設計どおりにできたか、とい

う流れに沿って点検・確認します。

　これらは仕入れ・製造担当者とは別に、品質管理担当の専任者が行ないます。

　しかし人員の少ない小規模メーカーでは、品質管理の専任者を置くというわけにはいきません。そこで小規模メーカーの場合、原料の品質点検は、原料を開封し使用しようとしたときに、**製造担当者が目や鼻で品質に異常がないかを官能的に総合判断**し、使用可否を判断します。

　製造条件については、「**加熱温度・時間**」「**撹拌時間**」「**加熱直後と冷却直後の品物の中心温度**」を記録しておくのが望ましいでしょう。

　加熱直後と冷却直後の品物の中心の温度を測る理由は、「微生物が死滅する温度に中心部分まで十分加熱されたか？」「加熱後も生き残った微生物がいたとしても、微生物が増えにくい温度（低い温度）に、品物の中心部分まで速やかに冷却されたか？」を確認するためです。

　製品の品質点検は、**目・鼻・舌で品質に異常がないかを確認**します。消費者は常に一定の品質を期待しています。味がいつもよりまずい（塩辛い・甘すぎる・味が薄い）・小さいなど、品質が劣ることはもちろんですが、いつもより美味い・大きいというのも、品質が一定でないという意味では問題です。

　最高の状態の商品を口にした消費者は、次回購入時にもその状態を期待するかもしれません。そうであれば、次回は通常の品質であっても苦情の対象になってしまいます。

● 商品開発と品質保証

　商品開発する場合、現在使用している原料の端材（はざい）を有効活用するための商品なのか、まったく新規に原料を仕入れて製造するのか、それによって品質保証への力の入れようが大きく異なってきます。

　日頃から慣れ親しみ、その原料特性を熟知している場合、商品化した後で予想しなかった品質上の問題・食品関連法上の問題が発生するリスクは小さいものです。一方、原料特性を熟知していない原料、それまで使ったことがない原料を使う場合、後々思いもしなかった問題が起こる

リスクがあります。

● 商品開発と品質管理

　新しい商品を開発した際、その商品の品質上のバラツキ幅である「**出荷許容範囲**」を決める必要があります。試作したときと異なり実際の製造では、見た目・味・臭い・食感が常に一定に仕上がるかといえば、そうではありません。原料の品質にはバラツキがありますので、商品にも品質のバラツキが多少あるものです。

　この出荷許容範囲をきちんと決めておかないと、製造担当者・製品検品者（目視で点検する人）が判断に迷い、本来不良品として排除しなければならない製品を出荷してしまうかもしれません。

● 試作品の販売形態を決める

「商品は業務用か市販用か」「販売先は食品スーパーか、それとも製造者による直売か」「包装形態はプラスティック袋か、真空包装なのか、ビン詰にするのか」というようなことを決めます。

　普通に包装した場合、袋の中に空気が入ります。こういう包装のしかたを含気包装（がんきほうそう）といいます。それに対してポンプで空気を吸い出して包装することを真空包装といいます。

　食品は空気に触れていると、微生物が増えやすい（食品を短時間で腐敗させる微生物の多くは人間と同じで酸素を必要とします）ですし、食品中のあぶら分も酸化されやすいので、食品が傷みやすくなります。

　同じ食品を包装した場合、通常、真空包装のほうが含気包装より日持ちします。賞味期限が長い食品は販売できる期間が長いので、生産の計画にも自由度が増します。

● 試作品の保存（流通）温度を決める

　常温（15℃～35℃想定）、冷蔵（10℃以下）、チルド（5℃以下）、冷凍（－15℃以下）、冷凍（－18℃以下）、冷チル（冷凍流通→冷蔵流通）のいずれの温度帯で流通させるかを決めます。流通温度の違いで売り先

も消費期限・賞味期限も違ってきます。

▶ 試作品の日持ち（消費期限・賞味期限）を調べる

　消費期限・賞味期限を決める場合、どのくらい日持ちする（品質が変わらない）のか調べる必要があります。

　どうするかといえば、流通させる保存温度で保管し、食味や微生物数の変化を調べます。このときの保存温度は、製品包装材の**原材料一括表示の「保存方法」欄に記載する温度**を念頭に決めます。

　保存方法に記載した温度帯で品質の劣化が一番速く進むのは、一般的には上限温度と考えられますので、保存方法に記載する上限温度で保管します。常温なら35℃、冷蔵なら10℃、冷凍（－18℃以下）なら－18℃で保管します。

　その上限温度で保管し、一定期間経過ごとに製品を開封し、食味や微生物数を調べます。一度開封した製品は、その後、急激に品質が劣化することがありますので、次回の検査には使用できません。開封した製品は検査したら廃棄します。

　消費期限・賞味期限は、科学的合理的方法で決めるよう厚労省と農水省から通知「食品期限表示の設定のためのガイドライン」（平成17年2月25日）が出ています。通知には具体的確認手法は示されていませんが、賞味期間が製造日を含め7日と決めるには、7日経過時点で食味・微生物数に問題がなければOK、ではありません。10日経過時点で問題がないことを確認してはじめて、賞味期間を7日と決めることができるのです。これは**最大日持ち期間に安全率（0.7～0.8）を掛けて、流通させるときの日持ち期間を算出する**ルールがあるからです。

　小規模メーカーにおいての食品検査は、正確性より検査の頻度が重要です。年に1回外部検査機関に依頼して検査を行なうより、自社で毎月1回・週1回の頻度で検査を行なうほうが、早く衛生状況の悪化を知って是正できる分、衛生管理が優れている事業者といえます。

　昨今、食品不祥事が散発的に報道されており、消費者が食品業界全体へ向ける不信感は定着しています。それにともない、自社検査（食品事

業者自身が自社内の検査設備で行なう検査)への消費者が抱く信頼感も低下したと感じます。

　反対に、外部検査機関による検査結果への消費者が抱く信頼感は高くなったようです。一般的には検査依頼する食品事業者が検査するものを用意しますので、客観性の担保はとれません。しかし、検査機関の結果のほうが消費者には評価されます。以上の事情は知っておくとよいでしょう。

▶微生物の種類と検査方法

　食品の腐敗や食中毒の原因となる大きな要素として、微生物の存在があります。微生物については食品衛生法で「微生物規格基準」が定められていますし、「一般生菌数」や「大腸菌群」についての知識は、食品関係の書類作成上でも欠かせません。そこで、基本的な微生物の知識を記しておきましょう。

●微生物とは

　微生物とは、**細菌・カビ・酵母の総称**です。人間に役立つ微生物（よい微生物）と人間の役に立たない微生物があります。

　食中毒を起こしたり、食品を腐敗させる微生物は悪い微生物です。納豆での納豆菌、ヨーグルトでの乳酸菌（ビフィズス菌など）、チーズでの白カビなど、発酵食品をつくる上で不可欠な微生物はよい微生物です。

　しかし、それらの微生物も他の食品で増えると、人にとって不快な臭い・味などが出てしまい、その食品にとっては役に立つどころか好ましくない微生物（悪い微生物）になってしまいます。同じ微生物でも、食品によっては両極端の評価になります。

●細菌とは

　菌とかバクテリアという場合もあります。**微生物からカビ・酵母を除いた微生物の総称を細菌**といいます。形は球形のもの（球菌）や棒状のもの（桿菌：かんきん）があります。発酵食品以外の食品では、**細菌が少ないほど良好な取り扱いをされている食品**と判断されます。

●ウイルスとは

タンパク質の殻（容器）に入った核酸（DNAまたはRNA）のことです。生き物ではありませんが、生き物の細胞にとりついて増殖（複製）することができるので、非細胞性生物という場合もあります。

ノロウイルスやインフルエンザウイルスなど、人の健康を損ねるウイルスの名前をよく耳にすると思います。

●一般生菌数（いっぱんせいきんすう）とは

一般生菌数は、**食品の衛生状況を示す指標**（バロメーター）です。一般生菌数が少なければ衛生的な食品、多ければ衛生的に問題がある食品ということになります。ただし発酵食品の場合は別です。

一般生菌数の検査では、高温でも低温でもない多くの細菌にとって過ごしやすい温度である中間的温度（検査では35℃）で、48時間置いた後に出た菌を目で見て数を数えます。単位は「／ｇ」か「個／ｇ」、または「CFU／ｇ」で、食品１ｇ中の数で表します。

CFUとはコロニー・フォーミング・ユニット（Colony Forming Unit）の略で、直訳すると「集落を形づくる単位」。要するに「菌のかたまりの数（菌集落の数）」の意味です。

菌は１個の細胞です。細胞は非常に小さいので肉眼では見えません。培養して菌（細胞）が分裂して細胞の数がドンドン増えると、多数の細胞が１つの大きなかたまり（集落）になり、目に見える大きさになります。この**目に見えたかたまりの数を一般生菌数**といいます。これらの菌の種類名は、正式には一般生菌ではなく、中温性好気性菌（ちゅうおんせいこうきせいきん）といいます。

ただし、知識のある人同士の間では略して「一般生菌」ということはあります。これは、中温性好気性菌（菌の種類名）の意味だったり、一般生菌数（菌の数）の意味だったりします。一種の業界用語です。

一般生菌数は別名「**生菌数**」「**細菌数**」という場合もあります。

●大腸菌群（だいちょうきんぐん）とは

大腸菌群とは、その名前から想像できるとおり、もともとは糞便に由来する細菌の総称でした。しかし近年では、大腸菌群に区分される菌が、必ずしも糞便に由来するものではないということがわかっています。

現在では大腸菌群は熱に弱い菌という認識にもとづき、加熱した食品で**大腸菌群が陽性であった場合、「加熱が不十分であった」または「加熱後に菌汚染があった」ことを示す指標とされています。**

以下、食品にかかわる代表的な微生物について記しておきましょう。

大腸菌（E.coli、イーコリ）

大腸菌は糞便由来の可能性の高い菌です。病原性大腸菌O157（おういちごうなな）も大腸菌の一種です。

サルモネラ

動物の腸管にいる菌です。食肉を扱う事業者では注意が必要な菌です。

黄色ブドウ球菌（おうしょくぶどうきゅうきん）

人の鼻の穴・皮膚・毛穴にいる菌です。この菌が増えると、エンテロトキシンという毒素を出します。この毒素は熱に強く、調理での加熱程度では無毒化されません。

腸炎ビブリオ（ちょうえんびぶりお）

腸炎ビブリオは海にいる塩分を好む菌（好塩性細菌（こうえんせいさいきん）、略して好塩菌（こうえんきん））です。逆に真水には弱い菌です。魚介類を生食することで、食中毒を発症させることがあります。

ウェルシュ菌

熱に強い芽胞（がほう：耐熱性の殻に包まれた状態の菌）になることができます。

カレーのような煮込んだ料理を翌日まで置いた場合、食べる前に再度十分に加熱しないと食中毒を起こすことがあります。こういうケースでは、この菌が原因であることが多いようです。

芽胞の状態では菌は増えませんが、料理の熱が下がると、芽胞は「殻を脱ぎ増殖できる状態の菌」（栄養細胞）になり増えます。再度加熱すれば一部はまた芽胞に戻りますが、間に合わずに多くのウェルシュ菌は熱で死にます。

これで食中毒は起こりにくくなります。

セレウス菌

ウェルシュ菌と特徴が似た菌です。熱に強い芽胞になることができます。米や小麦などが食中毒の主な発生源になります。

カンピロバクター

鶏肉類の料理で食中毒が起こった場合、この菌が原因であることが多いようです。熱に弱い菌ですので、加熱調理によって食中毒は防止できます。生肉に触れた手・まな板・包丁・はし・皿からの二次汚染（物から物に汚れ・菌が移ること）には注意しましょう。

乳酸菌

乳酸菌といえばヨーグルトの菌・善玉菌として知られていますので、健康によい菌というイメージが定着しています。乳酸菌が問題となるのは、増えすぎて「すっぱく」なって食品の風味を損なった場合です。乳酸菌はその名のとおり乳酸という酸をつくります。

また、乳酸菌が増えるときに食品中の炭水化物を分解して二酸化炭素を出します。二酸化炭素は冷蔵温度帯や室温では気体（ガス）です。乳酸菌が増えて二酸化炭素ができると、その圧力で包装した食品の袋がふくれる場合があります。

消費者から「買った商品がすっぱい！」「袋がふくれている！」との指摘があったときには、乳酸菌が原因の場合もあります。

酵母

カビは水分の少ない乾燥した食品でも生えますが、酵母は水分の少ない乾燥食品では増えません。さわって手に水気がつくような商品では、酵母が付着・増殖して問題となることがあります。酵母が増えると、お酒・アルコールの臭いがします。また、商品の表面にベタベタした粘り気のあるものが見えます。これが酵母である場合があります。

酵母以外の微生物でもネバネバしているものがありますが、お酒・アルコールの臭いがして、さらに商品の表面もネバネバしているなら、それは酵母と判断して差し支えありません。商品に生きた酵母がいるかどうかを調べる検査には3日間かかります。

■微生物分類イメージ図

（学術的な分類ではありません。食品の品質管理をする上では下記のようにイメージしてください）

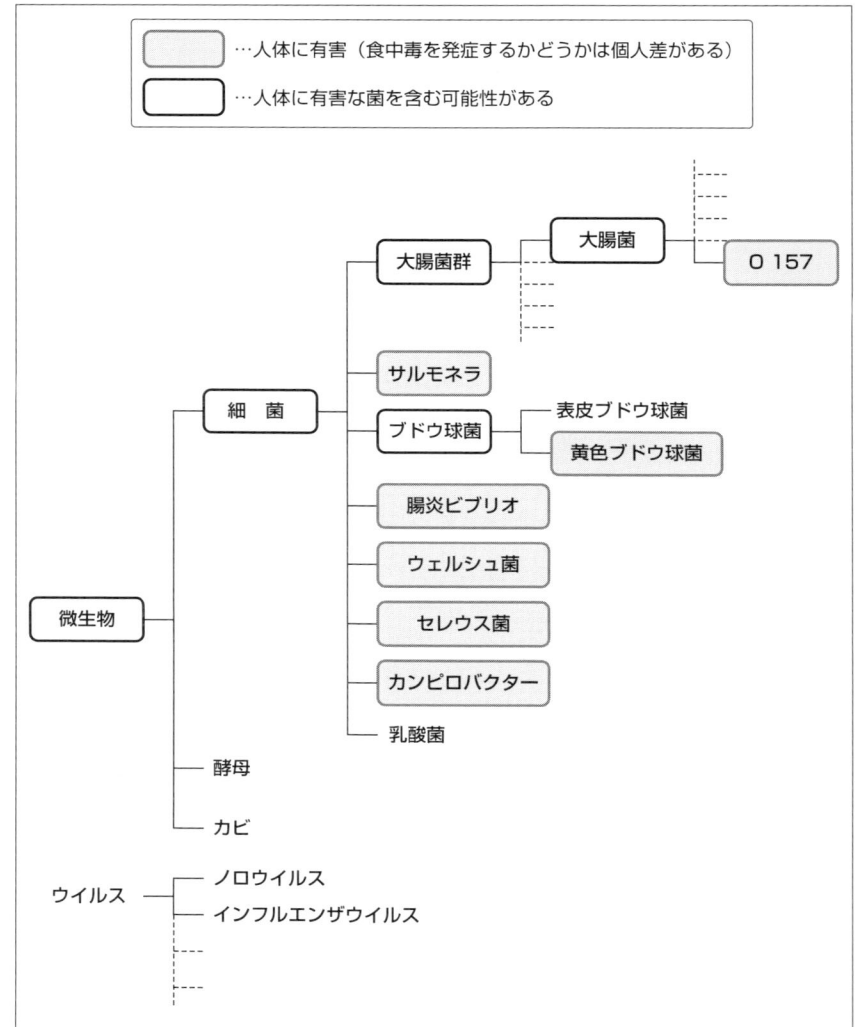

```
[ 網掛け ] …人体に有害（食中毒を発症するかどうかは個人差がある）
[ 枠のみ ] …人体に有害な菌を含む可能性がある
```

微生物
- 細菌
  - 大腸菌群 ─ 大腸菌 ─ O 157
  - サルモネラ
  - ブドウ球菌
    - 表皮ブドウ球菌
    - 黄色ブドウ球菌
  - 腸炎ビブリオ
  - ウェルシュ菌
  - セレウス菌
  - カンピロバクター
  - 乳酸菌
- 酵母
- カビ

ウイルス
- ノロウイルス
- インフルエンザウイルス

＊75ページで解説した一般生菌数とは、食品業界用語です。学術用語ではありません。中温性好気性菌を決められた方法で検査したときに出た微生物のかたまりの総数（1g当たり）を一般生菌数と言います。一般生菌数には細菌の数・酵母の数も含まれます。

＊ウイルスの有害性については医学的な話になりますので、私の専門外です。ここでは微生物との分類上の位置関係のみ記載しました。

カビ

　毛玉のような形状をしていて、色は白・ピンク・黒・緑とさまざまです。カビの胞子（ほうし。タンポポの種のようなもの）はとても小さく、目には見えませんが、無数に空気中を漂っています。それが食品に付着し、商品の温度が０℃以上で長い時間放置されると、カビは増えて目に見える大きさになります。消費者からすれば気持ちの悪いものです。

　工場のエアコン・壁・天井・器具の清掃殺菌をすることと、商品の低温管理でカビの増殖を抑えられますので、心がけるようにしましょう。商品に生きたカビがいるかどうか調べる検査には５〜７日間かかります。

● 食品事業者が知っておきたい検査の方法

　以下に紹介する検査方法は概略です。検査にはどういう設備が必要で、どう行なうのか、まずその概略を知ってもらうことを目的として書いています。検査実務経験のない人が独学で検査を試みるのは、労働衛生上も危険な行為です。

　健康上有害な微生物と薬品（試薬）を取り扱いますので、はじめて検査をする場合には、必ず検査実務経験のある人に手取り足取りマンツーマンで指導を受けてください。

＜一般生菌数の検査方法（概要）＞

検査機器：オートクレーブ（検査用の特殊な圧力釜）、恒温器（温めて菌を増やすために使用）

検査器具：三角フラスコ（液を入れるガラス容器）、ピペット（液体を一定量吸い取って、移し替えるガラス器具。目盛のついたストローのようなもの）、ストマッカー用袋（無菌のプラスチック袋）、アルコールランプ（器具を火であぶって殺菌するもの）、脱脂綿（アルコールを染み込ませて消毒したいところを拭くもの）、シャーレ（菌を増やすためのフタ付きの容器）、ハカリ

検査試薬：標準寒天培地（一般生菌数を検査するための栄養たっぷりの

粉。薄い黄色)、生理食塩水(検査する食品から菌を食塩水に移動させ、菌を含む食塩水を検査に使う。菌は薄い膜に包まれた生物なので、真水だと菌の中に真水がどんどん入って膜がパンパンになり、しまいには破裂し菌が死んでしまいます。この段階で菌が死ぬと正しい検査結果が得られません。生理的食塩水(0.9％食塩水)だと菌の中の食塩濃度とほぼ同じなので膜は破裂しません)、純水(塩などの混ざりものが入っていない水)

＜検査の流れ＞

① 三角フラスコに純水を入れ、次に標準寒天培地(粉)を入れ、フタをします(A)。
別の三角フラスコに生理的食塩水を入れ、フタをします(B)。
これらをオートクレーブで加熱殺菌します。

② 検査する食品10ｇをストマッカー用袋に入れ、袋に冷ましたBを90ｇ入れ、袋をもんで食品とBがよく混ざるようにします。

③ ②の水の部分をピペットで吸い取り、1ミリリットル(重量でいうと、だいたい1ｇ)をシャーレに入れます。このシャーレに人肌よりちょっと熱いくらいに冷ました(50℃くらい)Aを注ぎます。シャーレにフタをしてそのまましばらく置いて、液が固まるのを待ちます(寒天が入っているので、しばらくすると冷えて固まります)。

④ ③のシャーレを恒温器(35℃設定)に48時間(2日間)置きます。

⑤ ④のシャーレを恒温器から出し、シャーレの上に出た点の数を数えます。

この点が95個だったら「**一般生菌数：950／ｇ**」(1ｇの食品中に生きている雑菌が950個いた、という意味。10倍に薄めた検査液を使っているので10倍する)という検査結果になります。

点の数が30個より少ない場合は「**一般生菌数：＜300(点の数)／ｇ**」という検査結果になります。ですから点の数が29個だったら、検査結果は「**一般生菌数：＜300(29)／ｇ**」と書きます。口頭では「300個未満、

実数29個」という言い方をします。

　点の数が０個だったら「一般生菌数：＜300（０）／ｇ」と書きます。単に「＜300／ｇ」と書くこともあります。

　点の数が105個の場合は「1100／ｇ」と書きます。「1050／ｇ」とは書きません。有効数字という考え方があり、有効な数字・重要な数字・意味のある数字は、上位２桁のみという考え方で、これに沿った書き方をします。

「＜300」とは、その食品中に生きている菌が少なく、とても衛生的な食品だという意味です。「**＜300（０）／ｇ**」とは、**その食品中に生きている菌**が「**検出されなかった**」という意味で、「まったくいない」「無菌」という意味ではありません。確かに「まったくいない」場合もありますが、正確には、菌のかたまり（コロニー）が目に見える大きさになるまで菌が増えなかった、という意味です。

　ですから、検査で「＜300（０）」だったとしても、10日後には菌が増えて、その食品が腐るということも場合によっては起こります。

　ところで、冷凍食品に限ってはちょっと特別なのですが「＜300（点の数）／ｇ」や「＜300／ｇ」という書き方はしません。「**＜3000（点の数）／ｇ**」という書き方をします。たとえば「＜3000（５）」であれば、１ｇの冷凍食品中に500個の生きている菌がいた、という読み方をします。これは100倍に薄めた検査液を使うためです。

　大腸菌群の検査方法も一般生菌数の検査方法とほぼ同じです。異なるのは使用する培地がデソキシコレート寒天培地（赤色）だということと、検査結果の表し方が「／ｇ」ではなく「／0.1ｇ」だということぐらいです。点の数が０個だったら、一般生菌数の表し方とは違い「大腸菌群：陰性／0.1ｇ」と書きます。点の数が１個以上の場合は「陽性／0.1ｇ」と書きます。

▶ 賞味期限・消費期限を決めるための検査

　検査項目は「製品化した後に変化する」あるいは「する可能性のある」

項目を選び、製造後の時間経過とともに、どのように変化するかを検査します。

①**安全性視点**：微生物・あぶらの酸化検査等
　検査方法：微生物検査・酸価測定（酸化の値（程度）を調べる検査）
②**品質保持視点**：色・香り・味・物性
　検査方法：官能検査（食味検査。見た目・におい・味の検査）
　（品質を保証する期間×1.5）の間、①安全性、②品質が保たれることを客観的に示すデータ（検査結果）を揃える。

　これが賞味期限・消費期限を決める基本的手順です。
　品質を保証する期限＝消費期限・賞味期限です。

■一般生菌数検査結果の書き方と読み方

点の数	検査結果の書き方	検査結果の読み方
0	<300（0）／g	食品1g中の生きている菌は300個未満で、具体的には0個だった。
1	<300（1）／g	食品1g中の生きている菌は300個未満で、具体的には10個だった。（10倍に薄めた検査液を使っていますので、食品1g中の生きている菌は1個ではなく、10個と読みます。）
2	<300（2）／g	食品1g中の生きている菌は300個未満で、具体的には20個だった。
⋮		
10	<300（10）／g	食品1g中の生きている菌は300個未満で、具体的には100個だった。
11	<300（11）／g	食品1g中の生きている菌は300個未満で、具体的には110個だった。
12	<300（12）／g	食品1g中の生きている菌は300個未満で、具体的には120個だった。
⋮		
29	<300（29）／g	食品1g中の生きている菌は300個未満で、具体的には290個だった。
30	300／g又は3.0×10²／g	食品1g中の生きている菌は300個だった。
31	310／g又は3.1×10²／g	食品1g中の生きている菌は310個だった。
⋮		
95	950／g又は9.5×10²／g	食品1g中の生きている菌は950個だった。
⋮		
99	990／g又は9.9×10²／g	食品1g中の生きている菌は990個だった。
100	1000／g又は1.0×10³／g	食品1g中の生きている菌は1000個だった。
101	1000／g又は1.0×10³／g	食品1g中の生きている菌は1000個だった。
⋮		
104	1000／g又は1.0×10³／g	食品1g中の生きている菌は1000個だった。
105	1100／g又は1.1×10³／g	食品1g中の生きている菌は1100個だった。
	1050／g又は1.05×10³／g	←こういう書き方はしません。有効な数字は高い位から2桁までです
⋮		
110	1100／g又は1.1×10³／g	食品1g中の生きている菌は1100個だった。
111	1100／g又は1.1×10³／g	食品1g中の生きている菌は1100個だった。
112	1100／g又は1.1×10³／g	食品1g中の生きている菌は1100個だった。
⋮		
194	1900／g又は1.9×10³／g	食品1g中の生きている菌は1900個だった。
195	2000／g又は2.0×10³／g	食品1g中の生きている菌は2000個だった。
⋮		

3桁目は四捨五入します。

4 取引先に提出する商品規格書を書く

「商品規格書」は「商品カルテ」「商品仕様書」という言い方をすることもあります。商品規格書は食品を製造する事業者が必ず作成しなければならない、というわけではありません。ですが、これを作成していると、製品の納入先・消費者から問合せがあったときに、あわてずに回答するための基礎資料となります。**製品および会社の食の安全・安心について相手から信頼を得るための資料**ともいえます。

そこで最近は、営業先に商談予約をお願いする際、「まずは商品規格書をメールで送って」といわれることが多くなりました。面談するかどうかは商品規格書を確認してから、というケースが増えています。

では、商品規格書とはどういうものか、その書式例を86～87ページで紹介します。

この書類を見れば、社外の人でも商品の概要を理解できる内容が記載されています。通常、企業間の取引では、この書類を商談の前あるいは商談時に提出します。

アレルゲンの有無・商品形態・原産地など、商談先が気にする・扱わない仕様が含まれていれば当然、商談は不成立になります。

商談先が販売者責任という考えをもっているなら、必ず商品規格書の提出を求めます。

さて、商品規格書の書き方について説明します。

まず「**使用原材料**」ですが、これはレシピ（原材料配合表）をもとに書き込みます。原材料名欄は原材料の商品名を書き入れるのではなく、一般名（一般に知られた名称）を書き入れます。たとえば「特選丸大豆醤油」ではなく「醤油」、「味の極み」ではなく「風味調味料」というように書き換えます。

レシピを丸写しし、正直に誠実に書くことは情報開示の点で良心的ですが、情報が漏洩し、レシピをそっくりまねられるということもあります。どこまで開示するかは商談先との相談になります。
　原料の「**アレルゲンの有無**」「**原料産地**」「**食品添加物の有無**」は開示が必須です。しかし、原料の商品名・原料メーカー名まで開示するかどうかは、先の「同業他社に情報漏洩しまねられる」というリスクも念頭に、熟考する必要があります。

　商談先の要求・要望に備えて、商品規格書の書式を「詳細情報記載書式」と「簡略情報記載書式」の2通り作成しておくのもよいでしょう。ちょっと手数がかかりますが、まず詳細情報記載書式を作成し、それをもとに簡略情報記載書式に転記するという手順になります。
　自社書式で商品規格書を書く場合、営業先が非常にくわしい情報まで求めてくるか、あるいは概略わかればいいという営業先なのか、によって書式のボリュームは変わってきます。
　A4用紙1枚におさまる程度のものでよいのか、数枚にわたるくわしい商品規格書が必要か──。幅広い営業先を考えている場合は、くわしい内容まで事細かく書き記した書類を用意しておき、そこから必要な箇所を抜き書きして提出書類を作成するようにすれば、手間も少ないですが、そこまで必要ない、そこまで手が回らないという場合もあるでしょう。
　商談の相手先を考えて、臨機応変に判断することが大事です。

■商品規格書の例

商　品　規　格　書

商品名		JANコード
美味しい〜食品		490◇◇◇◇◇◇◇◇◇
内容量	260g	入　数	20パック
保存条件	10℃以下で保存	賞味期限	製造日＋13日

使用原材料

	原材料名	配合率(%)	原産国・加工地	アレルゲン(27種)	食品添加物	遺伝子組換え
1	米	30	日本			
2	人参	25	日本			
3	ごぼう	20	日本			
4	プロセスチーズ	15	日本	乳	乳化剤 カロチノイド色素	
5	昆布	5	日本			
6	粒状大豆たんぱく	3	原産国：米国 最終加工地：日本	大豆		非GMO
7	食塩	2	日本			
8						
9						
10						
11						
12						
13						

品質規格規準

一般生菌数	1.0×10^5/g以下
大腸菌群	陰性

包装形態

個包装	大きさ 縦 ○cm×横 ○cm×高さ ○cm
	材　質 フィルム：PE　　トレイ：PS
外　箱	大きさ 縦 ○○cm×横 ○○cm×高さ ○○cm
	材　質 紙(段ボール)

使用原材料名には1から順に、商品の包装材またはラベルに記載している「原材料一括表示欄」の「原材料名」を順に書き込みます。とうもろこし・じゃがいも・菜種・大豆・てん菜を使用しているときは、遺伝子組換え欄に「GMO・非GMO」のいずれかを書き込みます。アレルゲン27種を含む場合、アレルゲン欄に該当するアレルゲンを書き込みます。

201〇年〇月〇日

製造者　　有限会社　〇〇食品
製造者住所　〇〇県〇〇市〇〇〇〇〇〇
　　　　　Tel.〇〇〇－〇〇〇－〇〇〇〇
　　　　　Fax〇〇〇－〇〇〇－〇〇〇〇

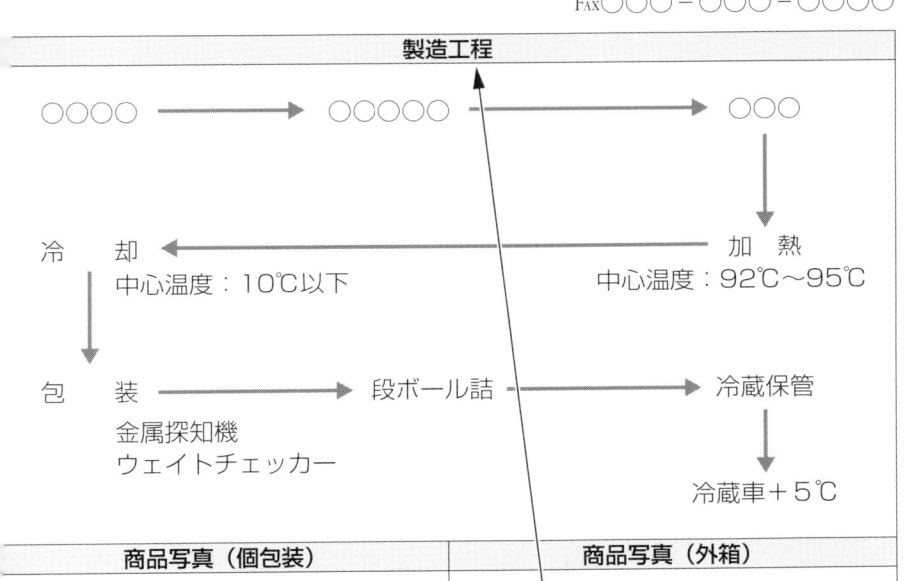

製造工程

〇〇〇〇　→　〇〇〇〇〇　→　〇〇〇
　　　　　　　　　　　　　　　↓
冷　却　←　　　　　　　　　加　熱
中心温度：10℃以下　　　　　中心温度：92℃～95℃
↓
包　装　→　段ボール詰　→　冷蔵保管
金属探知機　　　　　　　　　　↓
ウェイトチェッカー　　　　　冷蔵車＋5℃

商品写真（個包装）	商品写真（外箱）

製造工程には、品質管理上重要な管理項目（温度管理・異物検査等）がわかるように書いてください。加熱温度・冷却温度等の微生物制御方法、異物混入防止対策（金属検出・目視選別等）を記入するとよいでしょう。

品質規格基準には、できれば細菌規格を書き込みます。

5 商品に貼付する「食品表示」を作成する

▶ 食品表示とは？

「食品表示」の主旨は、購入する・しないを判断する上で必要な情報を、消費者に知らせることです。消費者個々人によって買う・買わないを決める際に、価値を置く情報は異なります。

安全の視点では、アレルギー体質の人にとってはアレルゲン情報、食品添加物過敏症の人は食品添加物情報、糖尿病の人は栄養成分情報が重要な情報です。

安心の視点では、産地情報、食品添加物情報。利便の視点では、可食期間情報（消費期限・賞味期限）、調理方法情報が、重要視されるでしょう。

食品表示に関する法律が規制する箇所は、**原材料一括表示とそれ以外**に区分されます。

一括表示では、「**食品表示法（新法）**または**食品表示関係法**（既存法：JAS法・食品衛生法中の表示に関する法律・健康増進法中の表示に関する法律）」「**計量法**」「**景品表示法の公正競争規約**」という法に沿う表示をします。

一括表示以外では、「**不正競争防止法**」「**薬事法**」「**容器リサイクル法**」「**資源有効利用促進法**」「**地方公共団体の条例**」という法に沿う表示をします。

食品表示を作成する際にもっとも神経をつかうのが原材料名欄の作成です。**原材料名欄には、使用した食材名と食品添加物名そしてアレルゲンを記載**します。これは義務です。原材料名欄に記載するルールは食品表示法（新法）または食品表示関係法（既存法：JAS法・食品衛生法中の表示に関する法律・健康増進法中の表示に関する法律）がもとになります。

なお、**義務表示**アレルゲンは、「卵・乳・小麦・そば・落花生・えび・かに」の7アレルゲンです。

　推奨表示（任意表示）アレルゲンは、「あわび・いか・いくら・さけ・さば・牛肉・鶏肉・豚肉・大豆・まつたけ・やまいも・オレンジ・キウイフルーツ・もも・りんご・くるみ・ゼラチン・バナナ・ごま・カシューナッツ」の20アレルゲンです。

● 食品表示を正しく作成する具体的手順

＜不適正表示＝知識・認識不足＞

　昨今、よく話題になるのが「食品表示」です。消費者目線では、適正表示は当り前のことでしょう。「不適正は故意・悪意・拝金主義によってなされる」と誤解されているようです。

　そのように社会から白眼視されるのは、食品表示が適正に行なわれていない実情が背景にあるからです。しかし、適正でない事例の多くは「故意・悪意」からではなく、**食品表示を正しく作成する「知識」不足が原因**です。

　「食品に関する法律を熟知した上で、事業をはじめる」、これが本来あるべき姿ですが、現実には即しません。「食品業を実際に営むなかで、足りない知識を徐々に習得しながら、時代に合わせて是正していく」、これが現実的手順です。

＜独学で「食品表示」実務を習得する＞

　消費者庁のホームページから食品表示に関するページを印刷し、熟読して必要な基礎知識を習得します。

　それと並行して、同業他社商品の食品表示を見て疑問に思ったことを、法に照らして「なぜ、こういう表示になったのか、そのようにしたのか？」、その疑問・謎解きをしてみましょう。実例と照らしながら学ぶことで、食品表示ルールが身につきます。

　平成32年3月31日までは既存法と新法が併存します。同業他社商品も既存法にもとづいた食品表示であったり、新法にもとづいた食品表示で

あったりすると思います。他社の動向を見ながら、既存法・新法どちらにもとづいて食品表示を作成するか選択してください。

わからないことは消費者庁や各都道府県に電話して教えてもらうのも手です。

＜食品表示実務についての講習を受ける＞

官民いずれが行なう「食品表示実務講習会」も食品表示法（新法）にもとづいた食品表示を推奨するでしょう。新法が施行された以上、講習会は新法の啓蒙・普及を兼ねるものと思います。
「食品表示実務講習会」を受講し、1日あるいは2日間集中的に食品表示漬けの環境に身を置いて学び、わからないことはその場で質問し確認することで、自ずと速習できます。

その場合、表示作成実習指導がカリキュラムに含まれている民間の有料講習会の受講をお勧めします。初級コース・中級コース・上級コースとレベルに合わせた講習会があります。

不定期ですが、行政機関による無料講習会もあります。しかし法律の説明が中心ですので、レシピ（原材料配合表）から表示をつくる実務指導までは期待できません。

＜緊急避難的に食品表示をつくる方法＞

「そんな悠長なことはいっていられない」「いますぐに食品表示をつくらなければならない」、そんな切羽詰まった場合の「緊急避難的」食品表示のつくり方をご紹介しましょう。

一言でいえば、**同業他社商品の表示をまねてつくる方法**です。その手順は、ざっと以下のとおりです。

●**既存法**（食品表示関係法：JAS法・食品衛生法中の表示に関する法律・健康増進法中の表示に関する法律）での表示作成
①同業他社商品を購入する
　※原材料名欄に（**原材料の一部に、○○、△△を含む**）と記載されて

いる商品を選ぶ。既存法に沿った表示ではアレルゲンの一括表示は「**原材料の一部に**」という表現が使われます。
②原材料一括表示の「原材料名」「製造者」欄以外をそのまままねる
③他社の「原材料名」欄の原材料を参考に、使用する食材を多い順に書く。その後ろに、含まれる食品添加物を多い順に書く。最後にアレルゲンを（原材料の一部に、〇〇、△△を含む）と書く

●**新法（食品表示法）での表示作成**
　表示ルールが既存法にくらべ複雑になりましたので、既存法にもとづいた表示ができなくなる平成32年4月1日の半年〜1年前までは既存法で表示を作成することを個人的にはお勧めします。
①同業他社商品を購入する
　※原材料名欄に（**一部に、〇〇、△△を含む**）と記載されている商品を選ぶ。新法（食品表示法）に沿った表示ではアレルゲンの一括表示は「**一部に**」という表現が使われます。
②原材料一括表示の「原材料名」「製造者」欄以外をそのまままねる
③他社の「原材料名」欄の原材料を参考に、使用する食材を多い順に書く。**改行して**、含まれる食品添加物を多い順に書く。**改行して**、アレルゲンを「一部に、〇〇、△△を含む」と書く
④『日本食品標準成分表（五訂増補）』（文部科学省）で栄養成分値を調べ、記載数値を引用し、包装に表示する栄養成分表（エネルギー・たんぱく質・脂質・炭水化物・食塩相当量）を作成する
　※従業員数（製造・加工会社：20人以下、販売会社：5人以下）の場合は、栄養成分表示は免除されます。

　もう少しくわしく説明しましょう。まず、同業他社の商品を購入します。同業他社が大手であればなおよいでしょう。**地元生協・大手食品スーパーで購入し**、それらの表示をひな型とします。
　この販路では複数の事業者が食品表示を点検した上で販売していますので、順法性が高く、おおむね適正な表示がされています。少なくとも

5社以上のパッケージ・ラベルを手元に集めます。
 次に、購入した複数商品の表示を比較し、共通性を見つけます。「名称」欄には何と書かれているか、「原材料名」欄には何々が書かれているか。「原材料名」欄以外はそのまま書き方をまねることができます。
 ちょっと考えてもらいたいのが「原材料名」欄です。さて、何をどう書けばいいのか？
 手始めに他社商品の「原材料名」欄に書いてある文字を紙に手書きしてみます。各社商品の原材料名を同じように書き写しましょう。これを3回繰り返します。そうすると「共通する表現・しない表現」が何となくわかると思います。パソコンのキーを打つより、手書きしたほうが頭に入りやすいでしょう。
 その後、自社の使用原材料を書き出します。すべて書き出したら、使用量の多い順から書き直します。
 次に、各原料の容器に書かれている原材料名から、食品添加物名をすべて抜き書きします。容器に書かれている原材料名のどこまでが食材名でどこからが食品添加物かわからない場合には、「書かれている原材料名（スペースをあけて）食品添加物」とネットで検索し、食材・食品添加物の区別をはっきりさせましょう。
 抜き書きした食品添加物で同じ名称のものは、1つを残してダブっている名称をペンで二重線を引き、消します。何を消したか後で点検できるよう、消した文字が読めるようにしておきます。
 次に、使用量が多い「だろう」と思われる順に並べ替えます。
 使用原料の後に、この食品添加物名を書き足したら、ほぼ完成です。ダブった文言がないか点検し、あったら消します。「食材名の中に食品添加物名が入っていないか」も点検し、あったら「食品添加物欄」に移動します。

＜既存法での表示作成の場合＞
 最後に原料容器・包装に記載されているアレルゲンを書き写します。そして食品添加物の後に「原材料の一部に○○、△△を含む」と書けば、

これで完成です。

＜新法（食品表示法）での表示作成の場合＞
　最後に原料容器・包装に記載されているアレルゲンを書き写します。アレルゲンは食品添加物の後に「一部に〇〇、△△を含む」と書きます。そして、食品添加物・アレルゲンをそれぞれ改行すれば、完成です。

　新法（食品表示法）に沿って表示作成する場合、使用する原料すべてが同じく新法に沿った表示になっていないと、より表示作成の難易度が高くなります。当面は既存法にもとづいた表示作成をお勧めします。

　ひととおり作成したら、取引のある食品添加物メーカーの営業の人におかしいと思う点がないかどうかを確認してもらい、指摘があれば修正しましょう。
　もう少し食品表示の知識がある人は、すべての使用原材料メーカーから原材料規格書を取り寄せて、その記載内容から書き起こすと、表示の順法性の精度はグッと上がります。

⦿ 食品添加物の表示ルール

食品添加物の名前（名称または別名・簡略名または類別名）と用途名を必ず併記しなければならない用途名は以下のものです。

> **調味料、着色料、保存料、発色剤、増粘剤、安定剤、ゲル化剤、糊料、酸化防止剤、甘味料、漂白剤、防かび剤または防ばい剤**

＜表示例＞
調味料（アミノ酸、核酸）、調味料（アミノ酸等）、調味料（アミノ酸）、調味料（グルタミン酸Ｎａ）、甘味料（キシリトール）、増粘剤（キサンタンガム）、着色料（ベニコウジ黄色素、ベニノキ末色素）

特殊な例…「着色料（カロチン）」を「カロチン色素」と表示することもできます。「色」という文字を含むので、着色料として使用していることが消費者にわかる表現だからでしょう。

食品添加物の表示ルールは、とても複雑です。
実際に食品ラベル・包装材の原材料一括表示欄に食品添加物を表示するときには、この方面にくわしい人に作成または点検してもらいましょう。

⦿ 食品添加物の名称と用途名の扱い

> 96～97ページに主な食品添加物を掲載しました。カタカナの聞き慣れない名前が並んでいると思います。
> 「へぇ～、食品添加物って、いろいろあるんだ～」
> そんな感じで、ざっとご覧ください。

用途名とは何の目的でその食品添加物を使ったのか、消費者にわかるようにするためのものです。食品添加物名と用途名を必ず併記しなければならないもの以外の表示は以下のようにします。

＜強化剤としてL-アスコルビン酸を使用した場合の表示＞
- × 強化剤
- ○ L-アスコルビン酸
- ○ アスコルビン酸
- ○ ビタミンC
- ○ V.C

> **栄養強化の目的で使った場合、強化剤（L-アスコルビン酸）、別名・簡略名・類別名を用いて強化剤（アスコルビン酸）、強化剤（ビタミンC）、強化剤（V.C）と表示するか、字数が多くて表示しきれないなどの理由で単にL-アスコルビン酸、アスコルビン酸、ビタミンC、V.Cとすることもできます。ただし、単に強化剤と表示することはできません。**

＜膨張剤としてL-アスコルビン酸を使用した場合の表示＞
- ○　膨張剤
- ○　L-アスコルビン酸
- ○　アスコルビン酸
- ○　ビタミンＣ
- ○　Ｖ.Ｃ

どの表示でも可

ただし、食品添加物の名称と用途名を併記しなければならない用途（たとえば、酸化防止剤）で食品添加物を使用した場合には、食品添加物の名前（名称または別名・簡略名または類別名）と用途名を必ず併記しなければなりません。

＜酸化防止剤としてL-アスコルビン酸を使用した場合の表示＞
- ○　酸化防止剤（L-アスコルビン酸）
- ○　酸化防止剤（アスコルビン酸）
- ○　酸化防止剤（ビタミンＣ）
- ○　酸化防止剤（Ｖ.Ｃ）

- ×　酸化防止剤
- ×　L-アスコルビン酸
- ×　アスコルビン酸
- ×　ビタミンＣ
- ×　Ｖ.Ｃ

具体的に言いますと…
食品添加物がL-アスコルビン酸の場合ですと、酸化防止剤として使用したのであれば、表示は酸化防止剤（L-アスコルビン酸）、酸化防止剤（アスコルビン酸）、酸化防止剤（ビタミンＣ）、酸化防止剤（Ｖ.Ｃ）、この４つの書き方のいずれかで表示しなければなりません。

酸化防止の目的で使ったのであれば、単に酸化防止剤、L-アスコルビン酸、ビタミンＣ、アスコルビン酸、Ｖ.Ｃと単体で表示してはいけません。

⦿食品添加物の名称と用途名一覧 （表示で頻繁に見かけるもののみを抜粋）

名　　　称	別　　　名	簡略名・類別名	用途名 (用途名併記が必要なものは太字)
亜硝酸ナトリウム		亜硝酸 Na	**発色剤**
L-アスコルビン酸	ビタミンC	アスコルビン酸 ビタミンC V.C	強化剤、**酸化防止剤、** 膨張剤
アナトー色素		アナトー カロチノイド カロチノイド色素 カロテノイド カロテノイド色素	**着色料**
DL-アラニン		アラニン	調味料、強化剤
アラビアガム	アカシアガム	アカシア	増粘安定剤
アラビノガラクタン			増粘安定剤
亜硫酸ナトリウム	亜硫酸ソーダ	亜硫酸塩 亜硫酸 Na 亜硫酸ソーダ	**保存料、酸化防止剤、** **漂白剤**
アルギン酸ナトリウム		アルギン酸 Na	増粘剤、安定剤、 ゲル化剤又は糊料
5'-イノシン酸二ナトリウム	5'-イノシン酸ナトリウム	イノシン酸ナトリウム イノシン酸 Na	調味料
ウコン色素	クルクミン ターメリック色素	ウコン	**着色料**
塩化マグネシウム		塩化 Mg	豆腐用凝固剤、強化剤、 製造用剤
カカオ色素	ココア色素	カカオ フラボノイド フラボノイド色素	**着色料**
カゼインナトリウム		カゼイン Na	製造用剤
カラメルⅠ	カラメル	カラメル色素	**着色料**、製造用剤
β-カロテン	β-カロチン	カロチン カロチン色素 カロチノイド カロチノイド色素 カロテン カロテン色素 カロテノイド カロテノイド色素	**着色料**、強化剤
キサンタンガム	キサンタン多糖類 ザンサンガム	キサンタン	増粘安定剤
グァーガム	グァーフラワー グァルガム	グァー	増粘安定剤
クエン酸三ナトリウム	クエン酸ナトリウム	クエン酸 Na	調味料、pH調整剤、 酸味料、乳化剤
グリシン			調味料、強化剤、 製造用剤
グリセリン脂肪酸エステル		グリセリンエステル	ガムベース、乳化剤、 製造用剤
L-グルタミン酸ナトリウム	グルタミン酸ソーダ	グルタミン酸ナトリウム グルタミン酸 Na	調味料、強化剤
香辛料抽出物	スパイス抽出物	香辛料 スパイス	苦味料
コチニール色素	カルミン酸色素	カルミン酸 コチニール	**着色料**
コハク酸二ナトリウム		コハク酸ナトリウム コハク酸 Na	調味料、pH調整剤、 酸味料
焼成カルシウム		焼成 Ca	強化剤、製造用剤
食用赤色2号	アマランス	赤色2号 赤2	**着色料**
食用赤色104号	フロキシン	赤色104号 赤104	**着色料**
植物レシチン	レシチン		乳化剤
ショ糖脂肪酸エステル		ショ糖エステル	乳化剤
D-ソルビトール	D-ソルビット	ソルビトール ソルビット	軟化剤、製造用剤

ソルビン酸			保存料
ソルビン酸カリウム		ソルビン酸K	保存料
炭酸カルシウム		炭酸Ca	イーストフード、強化剤、膨張剤、ガムベース、製造用剤
炭酸水素ナトリウム	重炭酸ナトリウム 重炭酸ソーダ	炭酸水素Na 重炭酸Na 重曹	かんすい、pH調整剤、膨張剤、製造用剤
チアミン塩酸塩	ビタミンB1塩酸塩	チアミン ビタミンB1 V.B1	強化剤
d-α-トコフェロール	α-ビタミンE 抽出トコフェロール 抽出ビタミンE	抽出V.E トコフェロール α-トコフェロール ビタミンE V.E	酸化防止剤、強化剤
トマト色素	トマトリコピン	カロチノイド カロチノイド色素 カロテノイド カロテノイド色素 野菜色素	着色料
トレハロース			製造用剤
二酸化硫黄	無水亜硫酸	二酸化イオウ 亜硫酸塩	漂白剤、保存料、酸化防止剤
乳酸			酸味料、pH調整剤、膨張剤
乳酸カルシウム		乳酸Ca	調味料、強化剤、膨張剤
ニンジンカロテン	キャロットカロチン キャロットカロテン ニンジンカロチン 抽出カロチン 抽出カロテン	カロチノイド カロチノイド色素 カロチン カロチン色素 カロテノイド カロテノイド色素 カロテン カロテン色素	着色料、強化剤
ビタミンA	レチノール	ビタミンA、V.A	強化剤
ペクチン			増粘安定剤
ベニコウジ黄色素	モナスカス黄色素	紅麹 紅麹色素 モナスカス モナスカス色素	着色料
ベニノキ末色素	アナトー末色素	アナトー アナトー末 カロチノイド カロチノイド色素 カロテノイド カロテノイド色素 ベニノキ	着色料
ポリリン酸ナトリウム		ポリリン酸Na	かんすい、乳化剤、膨張剤、製造用剤
5'-リボヌクレオチドニナトリウム	5'-リボヌクレオタイドナトリウム 5'-リボヌクレオチドナトリウム	リボヌクレオチドナトリウム リボヌクレオチドNa リボヌクレオタイドナトリウム リボヌクレオタイドNa	調味料
リボフラビン酪酸エステル	ビタミンB2酪酸エステル	リボフラビン ビタミンB2 V.B2	着色料、強化剤
硫酸アルミニウムカリウム	ミョウバン カリミョウバン	カリミョウバシ ミョウバン	膨張剤、製造用剤
DL-リンゴ酸ナトリウム	dl-リンゴ酸ナトリウム	リンゴ酸ナトリウム リンゴ酸Na	調味料、酸味料、pH調整剤、膨張剤
リン酸水素ニナトリウム	リン酸ニナトリウム	リン酸ナトリウム リン酸Na	調味料、pH調整剤、かんすい、乳化剤、膨張剤、製造用剤

(参照：消費者庁HP)

6 品質管理担当者の1日

<朝>　・その日の包装開始時に、消費期限・賞味期限の日付を実際に包装した製品で確認する。
　　　・その日のチェックシート（温度記録表などの製造日報）の記入内容を点検する。

<日中>・外部提出書類を作成・提出する。
　　　・製品の食味検査・細菌検査を行なう。
　　　・工場内を見て回り、品質管理上問題がある点をその工程・場所の責任者に話し、是正をお願いする（小規模メーカーでは、品質管理担当者の役割が社内で認知されていないケースが多い。そこで、強圧的な指示命令は感情的なもつれを生むので「お願い」という柔らかい話し方をする）。
　　　　一度話すだけで是正されることを期待せず、少しずつ是正の方向に向かうような姿勢でいることが大事。
　　　・これまでに納品先、消費者から寄せられた苦情発生原因箇所をとくに重点的に見て回る。
　　　　苦情発生原因を根本的に解決できた場合はいいが、普通は最善の対策を打てないため、次善の対策であることが多く、完全に同様の問題を起こさないようにはできない場合が多い。そこで再発しないよう対策が継続されているか点検する。
　　　・残念ながら、たまには苦情が発生してしまうことがある。そのときは**苦情への対応がその日の最優先業務**になる。

＜製造終了時＞・実際に包装した製品で消費期限・賞味期限の日付を確認する。
・チェックシートの記入内容を点検して回る。

　以上が標準的な品質管理者の1日の仕事です。もしこれらを怠ると、賞味期限切れの商品が出回ったり、不良品が出荷されることも起きてしまいます。そうなると、すぐにクレームという反応が返ってきます。毎日、気を緩めることなく、チェックすることが大事です。

7 自社商品の品質リスクと外部関係者への対応

　長く営業を継続してきた事業者であれば、経験・情報の蓄積があります。過去に起きた社内的品質トラブル、外部から指摘された品質苦情の経験・情報蓄積、対応方法の蓄積があります。

　ですから、科学的検査が自社でできる事業者でなくても、従来の製品については経験で乗り切れることが多いでしょう。

　しかし残念ながら、そうした蓄積がない事業者では、トラブルの予兆察知・トラブル発生時の適正な対処ができないかもしれません。そうした事業者は、製造現場を実際に見て回り、「自社ではどういうリスクがあるか？」、以下のリスクと照らし合わせてください。そして「当てはまるなあ～」と思ったリスクの軽減に努めましょう。

　まずは、社内現状の点検です。

　健康危害……アレルゲン表示欠落、食中毒発生、異物混入

　食中毒の原因……病原性大腸菌（O157など）、黄色ブドウ球菌、腸炎ビブリオ、サルモネラ、セレウス菌、ウェルシュ菌、カンピロバクター、ノロウイルス、貝毒、フグ毒、植物毒、ヒスタミン、酸化油、重金属

　以上のような、消費者に直接的な健康被害が出る商品は、絶対に出荷してはなりません。

▶ 納品先への対応

　品質管理担当者は、商品規格書など外部提出用の書類を作成・提出するのが日常業務です。最近は、食の安全・安心志向や食品に関する不祥事の多発を受けて、安全証明書・調査書の提出要請が増えています。これらの書類作成も仕事です。これらの書類の書き方は、次章で述べます。

　社外の人が工場見学に来たときには、案内役も務めます。見学者からはHACCP（ハサップまたはハセップ）の視点で質問をされることが多

く、その視点で回答できることが信用につながりますので、品質管理担当者が同行案内するのが妥当です。

▶ 行政への対応

　行政とやりとりするのは、食品事業をはじめるときと、違反があったときくらいでしょう。その他は学校給食の入札に参加する場合に、**食品衛生監視票をもらうとき**です。つまりは**営業所在地を管轄する保健所**と接触がある程度です。

　食品事業をはじめるにあたっては、まず保健所に相談し、**営業許可が必要な業種の場合は「営業許可申請書」を保健所に提出**します。各自治体のホームページに食品営業をはじめようとする場合の申請手順が載っています。その地を所管する自治体によって多少提出する書式が異なりますので、くわしくはそちらをご覧ください。

　食品関連法違反をしてしまい、**自発的に回収する場合には、営業所在地を管轄する**自治体に報告することになっています。

　行政から指摘を受けて**始末書提出あるいは回収・始末書提出を求められたとき**は、その書き方を保健所に教えてもらいましょう。聞かなくても、書く内容・項目をアドバイスしてくれることもあります。

▶ 消費者への対応

　消費者からの品質上の質問に答える、あるいは回答を用意するのも、品質管理担当者の仕事です。
「原料に○○（食材名）と書いてあるんですけど、○○の産地はどこですか？」
「子どもに食物アレルギーがあるんですけど、大豆は使ってますか？どのくらいの割合ですか？」

　こういった質問にていねいに答える必要があります。食品のパッケージに書ける情報は限られています。書けなかった情報について消費者から問い合わせをいただいたら、感謝の心をもって応対しましょう。こういう積み重ねが事業者の信用・信頼を高めます。

食物アレルギーをもつ人（多くは幼児・児童）は、少量であれば症状を起こさない場合もあるそうです。しかし、もしアレルギーを発症してしまったら、命にかかわります。
　アレルゲンの含有量についての問い合わせに対しては、正確でていねいな説明をしてください。

▶ 工場見学者への対応

＜来工目的はいろいろ＞

　工場見学・視察・査察・監査。工場を社外の人が見にくると一言でいっても「誰が？」「目的は？」により、工場側の緊張感には天と地ほどの差が生じます。
　課外活動の小中学生、消費者、保健所職員（食品衛生監視員）、食品卸業者、量販店のバイヤーと、訪れる人はさまざまです。
　社会勉強を目的とする小中学生・消費者の方を案内する場合は、工場側も和やかな雰囲気で応対できます。「工場内外の清掃・整頓」と「多人数であれば白衣・帽子・スリッパ・長靴・試食品・飲み物・お土産の数を人数分そろえること」に気を配るくらいでしょう。
　見学者用通路がない工場では、機械に触れてケガをしないよう、濡れた床で滑らないよう見学者に注意を促しながらご案内しましょう。

＜納品先・商談先の来工＞

　小規模メーカーが緊張する来工目的は、**工場視察・査察・監査**でしょう。
　これらの目的で来工する人は、一般に大手・中小の食品工場を多数見て回っていますので、目が肥えています。低く見積もってもHACCPにもとづく視点は身についていますので、「買っていただく側」としては緊張する相手です。
　工場側として少しでもよく見せるための準備が必要です。来工することがわかっているのに工場環境を整えないのは、来工者に対し礼を欠くことです。「自分たちが来るから、あわてて４Ｓ（整理・整頓・清潔・

清掃）したな」と思われてもかまいません。

　来工の日程が決まってから工場案内を終えるまでの具体的な手順・注意点について時間を追って書いてみます。

Ⅰ　来工日程決定直後に日程を社内連絡
　　（目的）各部署・各自による自発的問題点是正を促す。
Ⅱ　来工1週間前の同時刻に工場点検
　　（目的）品質管理担当者は工場内を点検し、是正・修正に日数を要する要改善事項を見つけ、来工日までに手を打てるようにする。
Ⅲ　来工前日の同時刻に工場点検
　　（目的）1週間前の点検で伝達した要改善事項が是正されているか、品質管理担当者は工場内を点検・確認し、まだなら応急処置をとる。
Ⅳ　来工当日の1時間前に工場点検
　　（目的）品質管理担当者は工場内を巡回し、整理整頓・従業員の服装の状態を見て回り、直前に修正する。
Ⅴ　工場案内
　という手順になります。

Ⅰ　来工日程決定直後に日程を社内連絡
　〇月〇日〇時に来客があることを工場の全従業員に知らせましょう。各部署・各自が自発的に事前準備に取りかかってくれるでしょう。
　社内連絡が遅れると「もっと早く教えてくれていれば、きれいに掃除したのに」という声があがります。従業員の協力があってこそスムーズに準備が進みます。速やかな連絡は当り前のことですが、大切です。

Ⅱ　来工1週間前の同時刻に工場点検
　生産量・生産品種は曜日によって、大まかにしろ周期性があると思います。ですから来工予定1週間前の同じ曜日・工場案内同時刻に工場内

を巡視します。工場内の様相は時刻によって様変わりしますので、「**来工予定と同時刻の状況を見る**」ことに意味があります。

「はじめて立ち入った人が見たらどう感じるだろう」というお客様目線で、案内経路に沿って見回ります。是正を要する箇所をメモしながらすみずみまで点検しましょう。

- 不要な掲示物・汚れた掲示物はないか（虫の巣が張ったり、カビの発生源になる）
- 天井は汚れていないか（付着物の落下混入やカビの発生源になる）
- エアコンの吹き出し口が汚れていないか（付着物の落下混入やカビの発生源になる）
- 原料の袋の口が開放されていないか（虫や異物が落下混入する）
- 機械の塗装がはがれ落ちそうでないか（塗装が落下し混入する）
- 原料や仕掛品がカバーされないまま低い位置に置かれていないか（異物が落下混入する）
- 原料を直置き（じかおき：パレットや棚の上に置かず床の上に置くこと）していないか（虫や異物が付着し、原料や製品に混入する）
- 換気扇の網は破損していないか（虫が侵入する）
- クモの巣が張っていないか（工場内にエサとなる虫がいるということ）
- クリップやセロテープなどの小さな備品はないか（小さな備品はできるだけ使わないほうがいい。紛失しても気づかない・製品に混入しても発見できない場合がある）
- 木製の器具はないか（木製の器具はできるだけ使わないほうがいい。吸湿性・浸透性があるため微生物汚染源になる、また破損しやすく異物混入源になる）

など、お客様から指摘されそうなことを思いついたままメモします。

工場内をひととおり見回ったら、工場建屋外周の清掃状況も確認しましょう。

全体の巡視がすんだら、メモから問題点を書き写し、是正方法を併記し、これをもとにして来工時までに是正しましょう。

Ⅲ　来工前日の同時刻に工場点検

　明日来客があること、失礼がないように接することを工場の全従業員に改めて知らせましょう。出入業者と勘違いしてなれなれしい振舞いがあっては困ります。

　前日にも、来工予定と同時刻の状況を見ておきましょう。**1週間前の点検で指摘した改善を要する事項が是正されているかどうか確認し**、まだすんでいなかったら、応急的にでも処置を取りましょう。

Ⅳ　来工当日の1時間前に工場点検

　整理整頓・従業員の服装の状態・製造日報の記入状況を見て回りましょう。

「帽子・マスク・手袋を正しく着用しているか」「シャッター・ドアが開けっ放しになっていないか」「工場内にゴミが落ちていないか」「製造日報はきちんと記入されているか」「工場建屋の外周にゴミが落ちていないか」など、最終確認しましょう。

Ⅴ　工場案内

　お客様が来工し、いざ工場内へ。

　作業着に着替える場合、着用順は**帽子→上着→ズボン**です。これは髪の毛を作業着に落下付着させないための重要なポイントです。脱ぐときは逆で、できる限り毛髪が付着しないように**ズボン→上着→帽子**です。

　お客様には白衣を着ていただくと思いますが、その場合、着用順は**帽子→白衣**で、脱いでいただくときは逆に、**白衣→帽子**ですが、諸事情から着用順については言及しないほうが無難かもしれません。

　諸事情とは「無知を装うほうが得な場合もある」ということです。

　多くの小規模食品工場は、ISO22000やHACCPの視点では不十分な点が多く、胸を張って工場を案内できないのが実情です。

　小規模食品事業者で実務能力のある品質管理担当者がいるケースは、ほとんどが大手系列で実務教育を受けた中途採用者ですが、会社を思っての「改善」であっても、力関係からオーナー経営者にはものをいいに

くいというのが一般的でしょう。

　来客に対していうことは立派なのに、工場の食品衛生管理状況がお粗末だと、**「知識があるのに実行していない」→「不誠実」**と来客の心証を害するケースも実際あります。
「食品衛生・品質管理にくわしい従業員がいないわりには、結構がんばっているな」、そう思ってもらえるほうがいい場合もあります。

　入場ルールを明文化し、来客に白衣の着用順を指示することが、それだけで一定レベル以上の衛生管理をしていると来客に評価されると、その後に目にする工場の実態とのギャップがいっそう際立ちます。こうなっては逆効果です。

　そういう意味で「諸事情」があることを考えれば、白衣の着用順などの細かな点について、来客への自発的説明は避けたほうがいいかもしれません。しかし、これはケースバイケースですので、状況に応じて判断してください。

　いよいよ工場入り口から入場する手順です。
　工場内専用の靴に履き替え→帽子・白衣の付着毛髪を除去（多くは粘着ローラー使用）→手洗いの順です。**ポイントは手洗いが最後だ**という点です。

　靴・粘着ローラーは複数の人の手が触れています。**交差汚染**（あるものの汚れ・菌が他のものに移ってしまうこと）で手に雑菌がつきます。

　手洗いを先にしてしまうと、手を洗った意味がなくなります。何気ないことですが、食品衛生の基本ですので、順番を間違えないようにしましょう。

　来客の食品衛生知識レベルの高低にかかわらず、手洗いの手順はさらっと説明しましょう。案内者が手順を説明しながら手洗いし、そのとおりに手洗いをしていただきましょう。一口に手洗いといっても工場ごとに微妙にルールは違いますので、手洗い手順を説明することは失礼にはあたりません。逆に手順を説明しないと「この工場には入場規定・ルールはないのか」と減点対象になるかもしれません。

案内は製造工程の流れに沿って行ないましょう。来客が製造の流れを理解しやすいからです。原料搬入から製品出荷まで、説明しながら回ります。

　工場案内がすみ、その後の面談も終わり、無事お客様がお帰りになったら、工場内を回り、すべての工場従業員1人ひとりにねぎらいとお礼の言葉をかけながらお客様が帰られたことを知らせましょう。
　HACCPの視点では、十分に条件を満たしていない工場が小規模メーカーでは多数派です。「少しでもお客様に好印象をもっていただきたい」と従業員は神経をつかい、お客様の評価はどうだったのか、責任感の強い人ほど気にかけています。
「中小企業は責任感が強く愛着も抱いてくれているパート従業員の方々が支えている」といっても過言ではありません。ベテランのパート従業員の方々から短期就労のアルバイトの方々にいたるまで、全従業員1人ひとりに感謝と労いの一言をかけて回りましょう。

＜指摘事項＝消費者の要求＞
　工場視察で注視される共通事項は2点。**異物混入防止対策と食品衛生状況**です。
　そのポイントは「各工程で異物が入らないよう処置されているか」「異物が入ってしまった場合でも、発見除去できる処置がなされているか」「製品が微生物汚染されないよう食品衛生対策がなされているか」です。
　異物混入防止と食品衛生の維持・向上は、一朝一夕にはできません。目の肥えた視察者からの指摘事項を事後修正することが、危機管理・販路拡大のステップアップになると前向きに捉え、改善に向けて地道に努力していきましょう。

3章

取引をスムーズにする
外部提出書類の書き方

● 納品先から提出を求められる書類とは

　商取引上のトラブルを防止するため、2章で説明した、製品の使用原材料・産地・原材料一括表示を記した**商品規格書**の提出を求められます。

　その他に納品先から「**不使用証明書**」「**産地証明書**」「**安全証明書**」という類いの○○証明書の提出を求められる機会が増えています。納品先が事件・事故・商品回収に巻き込まれる事態を予防回避する目的で書類提出を求めてくることがあります。また、ニュースで事件・事故・商品回収が大々的に報じられたときに、取扱商品は対象外である・問題はないということを確認するために書類提出を緊急に求めてくることがあります。

　記入書式を送信してくる場合もあれば、書式を指定されない場合もあります。調査確認の手順から提出書類の作成まで「どうしたらいいの？」というご相談をいただくことがあります。そこで、いくつか外部提出書類の書き方について説明します。

＜納品先から提出を求められる書類とは？＞

　商取引上のトラブルを防止するため、製品の使用原料・産地・原材料一括表示を記した商品規格書の提出を求められることは、食の安全安心が声高に叫ばれる以前からありました。これとは別に、最近は食の安全安心上のニュースが飛びかう世相を反映して「○○証明書」の提出を求められることもしばしば。どう書けばいいのか、戸惑う事業者も少なくありません。大手の調査方法・報告書式とは別に、小規模事業者にはそれなりの書き方がありますし、納品先も過大な要求はしません。具体例で少し詳しくご紹介しましょう。

①『不使用証明書（調査報告書）』

　納品先から問題原料について使用有無の調査依頼連絡が入ってから、使用していない旨の報告書を作成します。基本的には原料に「何らかの問題があった」あるいは「あった可能性がある」場合には、原料仕入先から連絡が入ります。連絡が来ないという場合は「問題ない」と判断し

ます。

※ただし「問題原料を使用した商品があるか」「あった場合はその商品の一般名は何か」ということは把握しておきましょう。納品先との話の中で、この点を把握していないと不安視される可能性もありますので。後は調査報告期日までに調査報告書を作成し、送信します。文面はできるだけシンプルにします。

②『産地証明書』

「○○県産は使用しておりません」という否定表現は、風評被害を拡大するとして、場合によっては農水省・消費者庁から注意を受けるかもしれませんので、ご留意ください。

輸出時に求められる産地証明書は都道府県に交付を依頼しますが、国内流通では「納入業者が産地を手書きした伝票」を産地証明書の代用にできます。

産地間違い・偽装での商取引上の責任問題・損害賠償・刑事責任が発生する場合のことを考慮すれば、手書きではなく、できれば機械印字された伝票の受け渡し・保管が望ましいと思います。

納入業者が伝票の写しを紛失・廃棄した場合でも、自社の潔白を示す蓋然性(がいぜん)の高い証拠になるのではないかと個人的には思います。私は法律家ではありませんので、訴訟時の有用性については弁護士にご相談ください。

③『安全証明書（調査報告書）』

小規模メーカーの場合、納品先から求められていない段階で、自発的に調査報告書を作成し、納品先に送信するという先手を打つことはしません。問合せが来たら調査して報告する、という後手が許容されています。納品先が心配していない・気にしていない場合は、先手を打つことはかえって「寝た子を起こしてしまう」（風評被害）リスクもはらんでいます。先手必勝とは限りません。小規模メーカーの方は、少し様子を眺めてから、納品先の求めがあってはじめて調査報告する、というのが妥当だと思います。

④調査報告書のひな形

　調査報告書のひな形がほしいと思ったときは、自社が仕入れている各原料メーカーにその原料の調査報告書を送ってくれるよう依頼し、その調査報告書の書式をひな形とするとよいでしょう。

　調査報告書を外部から求められたときは、自社が仕入れている各原料メーカーにその原料の調査報告書を求め、それらの回答を根拠資料として自社製品の調査報告書を作成するのが、望ましい手順です。

　求めに応じて原料メーカーは調査報告書を送信してくれるはずです。

▶ 違法疑義への報告・改善

　食品関連法を所管する行政機関から連絡がくるということはほとんどありません。連絡がくるときは、食品衛生法違反や食品表示法違反を指摘されるときでしょう。

　食品衛生法違反については保健所から、食品表示法については都道府県の食品表示法担当部署から連絡が入るでしょう。

　この際の対応・報告書作成についてはある程度自社でできるでしょうが、対応・報告書の出来不出来が処分の軽重を左右します。信頼できる筋をたどり、食品衛生・食品関連法にくわしい人に、まずは相談することをお勧めします。

　初手の対応が不適切だと、後から挽回（弁明・修正）できることは限定されます。最初の説明が不十分であったため、必要でない回収を行なう事態に至ってしまった例もあります。

　行政機関からすれば、回収不要に足る説明がなければ、回収を指示するのも致し方ないでしょう。

　社外から提出を求められる書類の種類も増えました。しかし、それも時代の要請ですので逆らえません。以下に「証明書」「報告書」のサンプルを掲載します。「面倒くさくって、苦手」という意識が少しでも薄れたなら、幸いです。

■原材料「不使用証明書」例①

201〇年〇月〇日

お取引先各位

　　　　　　　　　　株式会社　〇〇〇〇〇〇　印
　　　　　　　　　　〇〇県〇〇市〇〇町
　　　　　　　　　　〇丁目〇番〇号

「〇〇〇〇〇」不使用証明書

拝啓　貴社ますますご清栄のこととお慶び申し上げます。
　平素は格別のご高配を賜り、厚く御礼申し上げます。
　さて、「〇〇〇〇〇」の件につきご報告申し上げます。
　今後とも弊社製品をご愛顧賜りますよう何卒宜しくお願い申し上げます。

敬具

記

　201〇年〇月〇日に新聞等で報道されました△△社製「〇〇〇〇〇」は弊社では使用しておりませんので、その旨ご報告申し上げます。

以上

- 文面はできるだけ簡潔に書きます。
- 新情報が次々と出てくる可能性がありますので、追加情報と食い違いが生じないようにするため、書きすぎてはいけません。

3章　取引をスムーズにする外部提出書類の書き方

■原材料「不使用証明書」例②

201○年○月○日

お取引先各位

株式会社　○○○○○○　印
○○県○○市○○町○丁目○番○号

「○○○○○」不使用証明書

拝啓　貴社ますますご清栄のこととお慶び申し上げます。
　平素は格別のご高配を賜り、厚く御礼申し上げます。
　さて、「○○○○○」の件につきご報告申し上げます。
　今後とも弊社製品をご愛顧賜りますよう何卒宜しくお願い申し上げます。

敬具

記

　201○年○月○日に新聞等で報道されました△△社製「○○○○○」について弊社原料仕入れ先に問合せた結果、弊社では当該品を使用しておりませんことを確認致しましたので、その旨ご報告申し上げます。

以上

● 「仕入先に問い合せた」という文面が取引先に信頼と安心感を与えます。

■「産地証明書」例

201〇年〇月〇日

お取引先各位

　　　　　　　　　　　　　　　有限会社　〇〇〇　印
　　　　　　　　　　　　　　　代表取締役　□□　□□

産　地　証　明　書

拝啓　貴社ますますご清栄のこととお慶び申し上げます。
　平素は格別のご高配を賜り、厚く御礼申し上げます。
　さて、弊社製品「〇〇〇〇〇」の原料△△△の産地についてご報告申し上げます。
　今後とも弊社製品をご愛顧賜りますよう何卒宜しくお願い申し上げます。

敬具

記

　弊社製品「〇〇〇〇〇」の原料△△△は◇◇県産または□□県産です。
　尚、原料事情により産地を変更する場合には、事前にご連絡申し上げます。

以上

● ◇◇県産または□□県産を使っているが、限定しているわけではない場合の書き方です。

■検査済「安全証明書」例

201〇年〇月〇日

〇〇〇株式会社　御中

有限会社　〇〇〇〇　印

弊社製造「〇〇〇」安全証明書

拝啓　貴社ますますご清栄のこととお慶び申し上げます。
　平素は格別のご高配を賜り、厚く御礼申し上げます。
　さて、表題の件につきご報告申し上げます。
　今後ともご愛顧賜りますよう何卒宜しくお願い申し上げます。

敬具

記

　弊社製品「〇〇〇」の原料として使用しております「△△△△」は中国産です。「△△△△」は残留農薬検査が実施されており、安全であることの確認が取れております。ご安心頂きたくお願い申し上げます。

以上

●中国産なら中国産と堂々と書く。
　「中国産ですが、……」という言い訳がましい文面は、かえって相手に不安を与えてしまうかもしれません。

■ 安全に関する「報告書」例

201〇年〇月〇日

お取引先各位

有限会社　〇〇〇〇〇〇　印

新型インフルエンザに関する報告

拝啓　貴社ますますご清栄のこととお慶び申し上げます。
　平素より格別のご高配を賜り、厚く御礼申し上げます。
　さて、新型インフルエンザ問題につきご報告申し上げます。
　今後とも弊社製品をご愛顧賜りますようお願い申し上げます。

敬具

記

1、弊社製品の原料豚肉の産地について

　　弊社で使用している豚肉は〇〇〇産・国産・〇〇〇〇産です。

2、弊社製品の安全性について

　　農水省ホームページ中の「新型インフルエンザ関連情報」収載ページ（http://www.maff.go.jp/……htm　201〇年〇月〇日現在）に「豚肉・豚肉加工品を食べることにより、新型インフルエンザがヒトに感染する可能性は、以下の理由からないものと考えております。万一、ウイルスが付着していたとしても、インフルエンザウイルスは熱に弱く、加熱調理で容易に死滅すること。万一、ウイルスが付着していたとしても、インフルエンザウイルスは酸に弱く、胃酸で不活化される可能性が高いこと。」と掲載されております。
　　弊社製品の安全性に問題はございませんので、ご安心頂きたくお願い申し上げます。今後も各方面からの新型インフルエンザ情報収集に努めて参ります。

以上

● 権威のある機関の見解を引用することで、相手に安心感を与えます。

3章 ◎ 取引をスムーズにする外部提出書類の書き方

■終売「連絡書」例①

201〇年〇月〇日

お取引先各位

　　　　　　　　　　　　　　　有限会社　〇〇〇〇　印
　　　　　　　　　　　　　　　代表取締役　〇〇〇〇

商品終売のご連絡

拝啓　貴社ますますご清栄のこととお慶び申し上げます。平素は格別のご高配を賜り、厚くお礼申し上げます。

　さて、昨今の原料高騰及び消費低迷を受け、弊社では商品の見直しを進めておるところでございます。この度誠に勝手ながら下記製品につきましては、在庫がなくなり次第、終売とさせて頂きたくお願い申し上げます。

　お取引様にはご迷惑をお掛けし誠に恐縮ですが、何卒ご理解賜りたくお願い申し上げます。弊社ではその他各種商品を取り揃えておりますので、今後ともご愛顧賜りますことをあわせてお願い申し上げます。

　　　　　　　　　　　　　　　　　　　　　　　　　　　敬具

記

終売商品①「△△△△△」　　200g（10個入）／パック×15パック
　　　　②「△△□△□△△」　250g（10個入）／パック×15パック
　　　　③「□□△□△□□」　150g（10個入）／パック×15パック

　　　　　　　　　　　　　　　　　　　　　　　　　　　以上

●丁重にお願いする気持ちを文面に込めましょう。

■終売「連絡書」例②

201○年○月○日

株式会社　○○　御中

有限会社　○○○　印
代表取締役　○○　○

弊社製品「○○○○○」終売のご案内

　平素より格別のご高配を賜り、厚くお礼申し上げます。

　さて、弊社製品「○○○○○」をご愛顧賜り誠に有難うございました。この度原料事情により、勝手ながら「○○○○○」を終売とすることと致しました。何卒ご理解賜りますことをお願い申し上げます。

　弊社では多種類の製品を取り揃えておりますので、今後とも弊社製品をよろしくお願い申し上げます。

　　　　　　　　以上、ご連絡のみにて失礼致します。

●そっ気ない事務的な文面だと、こんな感じです。

■「商品変更のお知らせ」例

201○年○月○日

株式会社○○　御中

株式会社○○　印

お取扱い商品変更のお願い

　平素より格別のご高配を賜り、厚くお礼申し上げます。

　さて、弊社製品「○○」は在庫分の包装材がなくなり次第、終売する予定で進行しておりました。

　本日在庫分の包装材がなくなりましたので、終売とさせて頂きます。勝手ながらお取扱い商品を別商品「○○○○○○」へ切り替え願えないものかご検討頂きたくお願い申し上げます。

　事前に十分ご案内しておりませんでしたことをお詫び申し上げます。ご多忙の折、お手数をお掛けし申し訳ございません。

　　　　　　　　　　以上、よろしくお願い申し上げます。

● 「連絡が遅い！」とお叱りを受けるだろうな〜という場合の平身低頭な文面です。

■「原料変更のお知らせ」例

201〇年〇月〇日

株式会社〇〇　御中

　　　　　　　　　有限会社　〇〇〇〇〇〇〇〇　印
　　　　　　　　　〇〇県〇〇市〇町〇丁目1－23

　　　　　　弊社製造〇〇〇〇〇〇の原料変更のお知らせ

拝啓　〇〇の候、貴社ますますご清栄のこととお慶び申し上げます。
　平素より格別のご高配を賜り厚くお礼申し上げます。
　さて、弊社製品「〇〇〇」「〇〇〇〇〇」に使用しております魚肉の産地は米国産でしたが、原料事情により米国産又はカナダ産へ変更致したくご報告申し上げます。
　何卒ご理解の程お願い申し上げます。今後とも宜しくお願い申し上げます。

　　　　　　　　　　　　　　　　　　　　　　　　　　　敬具

● 「米国」→「米国・カナダ」への変更。納品先も「ん？　別にかまわないよ！」と言ってくれるだろうとの予想のもとに書く事務的な文面です。

4章

法令違反の実際と
関係者への対応策

1 製造者の法令違反とは

　意図的な違反は別として、「ごめんなさい」ですまないのが**食中毒発生とアレルゲン表示欠落**です。これらは消費者の健康を害する違反です。それ以外は基本的には謝ってすむ問題です。

◉ 食品衛生法違反……食中毒・微生物規格基準不適合等

　加工食品で食中毒発生が顕在化する例は少ないですが、もちろん顕在化した場合は公表・回収です。また、微生物規格基準が決められている食品で基準不適合の場合は公表・回収となります。

　食品添加物使用基準（使用含量制限や使用禁止）がある食品で、基準不適合の場合も公表・回収です。使用基準適合・不適合を調べるには、その食品添加物量を科学的に測定する必要がありますので、不適合は保健所などの検査で判明するケースが多いようです。

　食品添加物使用基準については、食品添加物を仕入れる際に、食品添加物メーカーに、「〇〇に食品添加物の△△△△△△を使いたいんですが、何か使用上の基準・注意事項はありますか？」と問い合わせましょう。確認した上で、使うことをお勧めします。

◉ 食品表示法（新法）または食品表示関係法（既存法）違反
……アレルゲン・食品添加物・原材料名の記載漏れ等

　義務表示対象の7アレルゲン（卵・乳・小麦・そば・落花生・えび・かに）が含まれている食品で、これらの記載が漏れてしまった場合は、緊急事態です。即、公表・回収です。もし食物アレルギーのある人が「使っていないから大丈夫」と食べてしまったら大変です。最悪の事態を招いた場合、業務上過失致死・致傷の罪を問われても致し方ありません。

食品添加物の記載漏れがあった場合も、基本的には公表・回収です。

使った**原材料の名称を記載漏れした場合**はどうかというと、これは判断が微妙です。あれもこれも回収では食品業者はやっていけませんので、むずかしい判断になります。

アレルゲンの記載漏れとは異なり、健康危害のおそれがあるのかどうか、消費者に不利益があるのかどうか、が判断の基準になるでしょう。しかし、大手企業なら、即回収です。

では表示順位の誤記はどうか。順番の間違いを問題視されることはほとんどありません。ただし、高価な原料・高級イメージの原料の順番が本来の位置より前に記載していれば、実際の使用比率より多く見せかけようとした、として問題視されます。

期限表示の間違いは公表・回収です。本来の消費期限・賞味期限より間違って長く印字してしまった場合、腐敗・油の酸化などで食中毒を起こすかもしれません。

最近では賞味期限を短く（期限切れ）印字してしまった場合も、公表・回収する場合があります。こうした場合は、期限表示の日付を確認して食べる人はもちろん、気にしない人でも期限日付が過ぎていることによって健康被害が起こることはないでしょう。しかし、いまの世の中の風潮では、間違っているのを知りつつ公表しないわけにはいきません。

まれですが、保存方法欄に「冷蔵」で保管するべきなのに「常温」と記載してしまった例もあります。これは、期限内でも腐敗による食中毒が起こるかもしれませんので、回収になります。

栄養に関する表示誤記は、栄養表示基準不適合で違反にはなってしまいます。「栄養表示の数値」が正しいか間違っているか、は通常、製造者にしかわかりません。「適正な栄養表示を行なっているかどうか、外部機関が検査する」ということはほとんどありません。

しかし製造者自身、あるいは納品先が書類と照らし合わせて気づくということはあるかもしれません。間違いがあった場合には、栄養表示部分に上から正しい栄養表示のシールを貼るという方法があります。

強調表示については、「高」「低」と根拠なく記載することは、意図的

な誤記載と疑われても仕方がありません。間違いに気づいた場合は、表現を削除した包装材で包装するまで、一時販売を見合わせるべきです。

▶ 景品表示法違反……消費者に事実に反して優良と誤認される表示

誤認「させる」ではありません、「される」です。**結果として誤認されれば違反**、と考えるべきです。

「新鮮」という表記はダメです。鮮度の落ちた原料を使って製造加工すること自体、普通はないでしょうから。「手作り」「特選」は一般に認められる・許容される根拠を示せる場合を除き、抵触するかもしれませんので、注意が必要です。できるだけ早く是正すべきです。その文字の上に別のシールを貼って当座をしのぐという方法もあります。

▶ 計量法違反……内容量不足

内容量不足の場合は、故意に違反するということは常識的には考えられません。購入者側が立腹していても「回収しなさいよ！」とまではいわれないでしょうから、返金・代替品といった対応と謝罪で大方は納得してもらえるでしょう。

しかし、他社へ納品した製品で同時多発した場合は、納品先の意向も踏まえて回収の是非を判断することになります。

▶ 不正競争防止法違反……他事業者に不利益を与える表示・行為

故意に行なった違反として、もっとも社会的風当たりの強い違反です。その顕著な例が**産地偽装**です。うなぎ、牛肉、あさりなど、さまざまな商品で摘発されています。

他の法令違反では、罰が軽いと判断された違反は、不正競争防止法違反にも当たるのであれば、この法令違反で告発される場合が多いように思います。

告発されれば逮捕されるケースが多くあります。風評被害を招く場合も、昨今の事例では増加しています。是正については「誠実に！」としかいえません。

福島第一原発の事故以来、特定の産地偽装の内偵・摘発・公表回避に役所の担当官は相当神経をすり減らしているだろうと想像します。立場立場でそれぞれ他者にはわからない悲哀というものがあるだろうなと思います。

● 詐欺罪……販売先に偽りを告げ不正に利益を得る行為

　これは不正競争防止法違反の次に悪質とみられる行為です。販売先に対する罪に限定されますが、お金で解決できる民事ではなく刑事事件として扱われます。これも是正については「誠実に！」としかいいようがありません。

● 傷害罪……商品が原因で心身に被害を与える（与えた）行為

　「食品を製造する者」「販売する者」が、故意に消費者に健康被害・傷害を与えるようなことをするかといえば、常識的にはもちろんノーです。
　そんなことをする理由・メリットは常識的には思いつきません。ただし、働いている人の中には労働条件に不満があったり、職場の人間関係に不満があったりということは、どこの企業にもあるでしょう。不心得なことをする人が絶対にいないとは断言できません。
　最近の社会不安・凶悪事件を見るにつけ、すさんだ不安感が社会に蔓延している中では、企業側も安閑としてはいられません。
　ことに厳しい経営環境にある企業では、自社に愛着・忠誠心をもたせにくい労働環境にあることは確かです。安定した雇用・安心して働ける雇用環境を企業側が提供できない以上、故意による行為に対する懸念は払拭できないでしょう。

● 製造物責任法（PL法）上の瑕疵（かし）による事故

　飲食店での食中毒がこの例にあたります。食材に安全上の問題がなく、飲食店の食材管理・調理・保管が原因である食中毒はもちろんのことですが、飲食店側としてはどうしようもなかった、という事例でも製造物責任を問われます。

実例を紹介しましょう。

1999年にこういう食中毒事例がありました。

割烹料亭で出されたイシガキダイの塩焼き・アライなどを食べた人が、神経麻痺・下痢・嘔吐などのシガテラ毒素による食中毒症状を呈しました。

もともと仕入れたイシガキダイに含まれていた毒素による食中毒で、その料亭の管理・調理に問題があったわけではありません。しかし「**過失責任はないが製造物責任はある**」とされました。

裁判で争点となったのはPL法の解釈です。「調理はPL法の製造物にあたるか」「PL法における免責事由の『事故当時の世界最高水準の科学知識をもってしても予見できなかった』に本件が該当するか」の2点です。

裁判所は「調理はPL法の製造物にあたる」「イシガキダイにシガテラ毒素が含まれるリスク情報は入手可能だった」と判断し、料亭側が敗訴。1300万円余りを損害賠償する判決が確定しました。

料亭側としては納得のいかない判決でしょうが、これが「現実」です。

このようなケースで「是正・予防対策は？」と問われれば、飲食店の事業形態では完璧な対策はありません。

お客様に料理を提供するために検食（毒見）するといっても、すべての料理について実施するのは不可能でしょうし、個々人の体質・耐性によっては、何ら症状に現れないこともあるでしょう。

食材に関するリスク情報を仕入れ先・インターネットなどから収集し、リスクを知った上で判断する、ということくらいしかできないでしょう。

多品種少量生産の製造者も同様のリスクを抱えています。量が多い場合は、原料段階・製品段階での官能検査で、異常がないかどうかをある意味で人体実験して、異常がなければ使用・出荷・販売するというのが最後の砦です。これで把握できなかったとすれば、実質上もはや打つ手はありません。

包装材に適正な注意表示がされていない、ということも問題です。たとえば、袋を開封するときに汁が飛び散る可能性があるのに、開封時の注意事項が書いてない場合に、「服が汚れた」「電化製品が故障した」と

いうことが起これば、この対象になるかもしれません。

「本当にそうなったのか」「もしかするとクレーマーなのでは？」という判断はむずかしく、「クレーマーだ！」と即断するのは軽々です。

▶ 特定商取引法違反……通信販売で順守すべき法に反した行為

「特定商取引法」とは、通信販売や訪問販売について規定している法律です。

特定商取引法では、事業者情報・契約の注意事項について定められています。通信販売のホームページ上に見落としによる記載漏れがあったとしても、気づいたときにすぐ訂正すればそれですむ場合が多いでしょう。

通信販売で気をつけるべきは「**誇大な表現になっていないか**」ということで、景品表示法の観点から点検しましょう。

2 販売業者の法令違反とは

● 食品衛生法違反……不適正な温度での販売、期限切れ商品の販売等

　冷蔵商品・冷凍商品が陳列中に機械故障で商品温度が上昇した場合、厳密には保存温度と異なる温度帯におかれ、商品設計上の消費期限・賞味期限内の品質が保証できないということになりますので、食品衛生法上、問題はあります。したがって、程度問題ですが、食品衛生法違反を問われることもありえます。

　食品スーパーでは、冷蔵ケース・冷凍ケースの横に温度を記録した表が貼ってあると思います。これは法的な違反を問われないためにも重要な記録です。もし販売店の温度管理が不適切で食中毒が発生した場合でも、**過失責任はまず製造者**にあります。食中毒菌がいなければ販売店での温度管理が不適切であったとしても、食味上好ましくない状態（腐敗）になるだけで、食中毒が起こることはなかった、そう判断される可能性もあります。

　そうはいっても販売者の責任がまったく問われないか、というとケース・バイ・ケースで判断されるでしょう。

　冷蔵の商品をタイムセールでワゴンに乗せて販売する場合、短時間であれば問題視されませんが、商品の温度が高くなるような長時間にわたることは問題がありますので、ご注意ください。食品衛生法・食品表示法（新法）または食品表示関係法（既存法）上、好ましいことではありません。

　消費期限が切れた商品を販売することは食品衛生法違反になりますが、賞味期限が切れた商品を販売すること自体は食品衛生法違反ではありません。

　ただし、賞味期限が切れた商品を、消費者が切れていることに気づかずに購入した場合、あるいは気づくような措置（POP広告など）をせず

に陳列するのは、**景品表示法**上問題です。

　賞味期限が切れた商品を販売することは、推奨されることではありませんが、「もったいない」ということで値引き販売する場合は、いつまで安全上問題なく食べられるのか説明できる根拠はもつべきです。

　その場合、製造者から賞味期限設定根拠資料を取り寄せ、食味上の保証期間（賞味期限）とは別に、消費可能な根拠資料（消費限界期間）を手元にもちましょう。

　「もったいない」と思う気持ちに私は共感しますが、監督行政側が喜ぶことではありませんので、賞味期限切れ商品の販売はお勧めしません。

▶ 食品表示法（新法）または食品表示関係法（既存法）違反……生鮮食品の不適正な産地表示等

　意図的に「実際と異なる産地」「根拠があいまいな産地」を表示することは、食品表示法（新法）違反または食品表示関係法（既存法）違反で、一般的には不正競争防止法違反・景品表示法違反にも当たります。

　逆に「高価値をイメージされる産地」を「低価値をイメージされる産地」に表示しても間違いは間違いなので、食品表示法（新法）違反または食品表示関係法（既存法）違反に当たります。ただし、高く売れるものを安く売るということを意図的に行なうことは常識的には考えにくいので、勘違い・ミスとして重い処分にはならないでしょう。このケースでは不正競争防止法違反・景品表示法違反にはなりません。

▶ 景品表示法違反……優良と消費者に誤認されるPOP表現等

　実際の商品実態より「優良と誤解される」「誤解を誘発する」表現は、景品表示法違反に当たります。表示文を考えた人には悪気がなくても、誤解・曲解される場合もあります。複数人で、表現に実際より優良と誤解されるニュアンスがないか、点検することをお勧めします。不適当な表現に気づいた場合は、ただちに撤去してください。

● 計量法違反……表示より少ない数・重量での販売

「表示した数・重量」と「その実際の数・重量」との差が、どのくらいまでなら許されるかという幅が、計量法で決まっています。

　少ない数・重量で売ってしまった場合には、気づいた時点で購入者を特定できないなら店頭告知し、レシートと照らして返金するということになるでしょう。

● 不正競争防止法違反……他事業者に不利益を与える表示・行為

「等級の低い肉の欄に、等級の高い肉のPOP広告を置いてしまった場合」や「昨日収穫した野菜に"朝採り野菜"というPOP広告を置いてしまった場合」など、間違っていたことに気づいたら、店頭告知しレシートを確認して返金するのがよいでしょう。

● 詐欺罪……著しく優良と誤認させる説明・行為による販売

　詐欺罪に問われる場合は、だまそうという意図をもって他者をだましたことになりますので、相当悪質です。本書をお読みくださっている方には関係のない話です。詐欺についての是正は「心を入れ替えて！」というしかありません。

● 傷害罪

　販売者が傷害罪に問われることは、まずないでしょう。

　昨今、商品に針を入れる事件が散発しましたが、これは、その行為を行なった人が営業を妨害する偽計業務妨害の罪に問われます。また、実際に購入者がケガをした場合は傷害罪に問われます。ケガをしなかったとしても傷害未遂に問われるかもしれませんし、店から損害賠償請求もされるでしょう。

　こういう、人を傷つけてもかまわない、人に迷惑をかけてやろうという行為は、どんな理由があったとしても許されることではありません。

▶ 製造物責任法（PL法）上の瑕疵（かし）による事故

　食中毒が起これば、販売業者でもこれに該当する可能性があります。自動車を運転中に食中毒の症状が出て、そのことが原因で運転を誤り自動車をぶつけた――そういう場合は自動車の修理代弁済を求められるかもしれません。

▶ 特定商取引法違反（通信販売も行なっている場合）

　食品製造者の場合の特定商取引法違反と基本的には同じです。

　商品を仕入れて販売する場合、その商品の原料・レシピを製造者にくらべて熟知しているとはいえませんので、勘違いから間違った表現で宣伝するケースも製造者より起こりやすくなるでしょう。

　そこで「表現に間違いはないか」について、製造者よりもいっそう注意を払いましょう。「正しい表現であったら、買わなかった」という人もいるかもしれません。購入者に対しては、各人にお詫び文書を送り、返金しましょう。

3 通販業者の法令違反とは

　基本的には販売者と同じですが、通信販売の場合は購入者をすべて把握していますので、商品に問題が発生した場合は速やかにすべての購入者に連絡が行き届くため、回収のための公表は必ずしも必要ではありません。

　ただし、たとえば食中毒が起こったというような**健康被害が発生した場合には、所管の保健所にその旨報告する義務**があります。電話で第一報を保健所に入れ、その後「どのような対応をとったらいいのか」については保健所の指示に従うといいでしょう。

4 事故・違反が起こったときの対応のしかた

　食品メーカーは、意図せず事故・違反が起こってしまったときのための報告・連絡・相談・回収については、**手順書（マニュアル書）**をつくっておくことになっています。

　しかし、小規模メーカーでは、そもそも手順書自体がなかったり、あっても「いざそのとき」にそのまま使えるような完成度が高い手順書ではない場合もあります。

　完成度の高い手順書とは、いろいろな状況を想定して、実際にシミュレーション（仮想訓練）を繰り返して手直しされた手順書です。

　では、小規模メーカーの立場に立った「使える手順書」をつくるには、どうすればよいでしょうか。手順書には「回収マニュアル」という行政がつくった「ひな型」があります。これを参考に、各社が自社の実情に合うように変えてつくるのがもっとも楽で早道です。

　マニュアルの参考例として、次ページに宮城県「食と暮らしの安全推進課」が事業者のためにつくった「事故対応・自主回収」のマニュアルを掲載します。

　違反・事故を知るのは、前述したように、次の4つのケースがあります。
「違反した企業が自発的に気づいた」
「納品先から指摘を受けた」
「消費者から指摘を受けた」
「行政側から指摘を受けた」
　大別すると、社内で気づいた場合と、社外の人から指摘を受けたケースに分けられるでしょう。

■「事故対応・自主回収」マニュアル

〈手順書例　16〉

作成・変更年月日	
作成・承認者署名	

食品の取扱い	事故対応・自主回収
責任者氏名	

項　　目	管理方法
	対　　応
平常時の訓練	① 苦情や食品による事故に対応できるように役割分担（誰が、何を、いつ、どのように行うか）を別紙のとおりとし、従事者全員に対し新任時及び年1回周知する。なお、不具合や人事異動があった場合はその都度改める。 ② 製品への異物混入等があった場合を想定し、回収するための責任者、手順などを記載した回収プログラムを作成するとともに、年1回、模擬訓練を行う。
クレーム・事故処理	責任者が対応する。 【確認事項】 ① 申立者の住所、氏名、連絡先 ② 発見（発症日）、発見状況（発症状況） ③ 申立内容（腐敗、異物、症状等） ④ 苦情品（名称、製造日、購入日、購入場所、保管状況、残品の確保） ⑤ 保健所へ連絡し、指示に従い、措置を記録する。 ⑥ 重大な健康被害が発生又はそのおそれがある場合には、社長などの最高責任者を中心とする対策本部を設置し迅速に対応する（事前に対策本部の組織図を作成しておく）。
自主回収	【販売先、出荷先への連絡（電話及び文書）】 在庫返品（廃棄）の依頼、連絡先　○○商店（電話番号、担当者……）、▲▲スーパー（電話番号、担当者……） 【保健所への届出】 回収商品名、形態及び容量、ロットの特定、出荷先、個数、出荷年月日、回収理由、健康被害の状況、回収方法、集積場所等 【消費者への情報提供】 社告、ホームページ掲載、店頭表示を行う。
再発防止策 （改善策）	① 改善点を検討する。 　　メンバー（社長、部長、工場長、……） ② 改善策の周知方法を決定する。 ③ 保健所の指示に基づく資料を作成し提出する。 ④ 従事者への再教育・訓練・作業手順書などの見直しを行う。

【基本姿勢】
☆　常に消費者の命と健康を最優先に考え、健康被害を拡大させないための最善の努力をする。隠そう、握りつぶそうという姿勢は絶対にとらない。
☆　責任者に事実を正確に報告し、責任者が正しい判断ができるようにする。
☆　消費者の信頼を得るために、情報を開示し誠意ある対応をする。

▶ 社内で気づいた場合

　食品関連の法律に習熟した従業員がいない場合、社内の人間が自発的に気づくこともありません。自発的に気づいたということは、それだけで立派なことです。知識があるから気づいたということです。

　そんな従業員なら、その違反がどの程度の違反なのか、その法の監督行政機関はどこか、ということも知っているでしょう。こういうレベルにある従業員がいるならば、後の処理もわかっていると思います。

　まず、社内の人が事故・違反に気づいた場合は、社内組織図に従い、知った人が起点となって連絡を回します。あとは以下の手順にしたがって処理します。

＜処理の手順＞
　事故・違反の事実確認→対処案決定→納品先（販売者）への連絡→行政機関（保健所など）・消費者への連絡

▶ 社外からの指摘で事実を知った場合

　社外から指摘を受けてはじめて「事故」を知るということは往々にしてあることで、指摘を受ける事業者のレベルが必ずしも低いとは限りません。事故は突発的に起こりますので、完全にゼロにするというのはむずかしいものです。

　一方、「違反」を指摘されるというケースは、その事業者の法律に対する意識レベルが高くない、点検能力が高くないと考えられます。

　違反の指摘を受けたときは、まず指摘されたとおり違反なのかどうか判断する必要があります。自社で判断できなければ、信頼できる外部の人（違反か否か判断できる知識をもつ人）、たとえば仕入れている食品添加物の営業マンなどに見解を聞きましょう。

　行政機関に問い合わせても、質問のしかたによって、限定的な回答しか得られない場合があります。これは問い合わせる側の質問のしかたが悪いからです。間違った質問・不十分な質問では正しい回答は得られません。それならば自社のことをよく知っていて、不十分な質問をしても

正しく状況を理解できる人に相談したほうがいいでしょう。

　そのようにして得た結論（違反にしろ違反でないにしろ）を「違反なのでは？」と**指摘した人に報告・説明**します。

　その場合、指摘してくれた人が消費者で、商品を購入した上で連絡してくれたのなら、その購入店（納品先）へ一連の事情をまず報告します。**指摘してくれた人に報告・説明する前に連絡を入れる**のが妥当です。

　昨今は「販売者責任」という考え方をもつ販売者が増えていますので、中抜きして製造者が販売者の承諾を受けずに、勝手に消費者と直接やり取りすることは、販売者から問題視されることがあります。この点はご注意ください。

　販売者にまず報告し、その後は**販売者の指示・意向に沿って行動**します。

　販売者または製造者（自社）が、指摘してくれた人に調査結果を報告・説明し、違反でないならそのことをていねいに低姿勢で説明し、納得していただきます。最悪、納得してもらえない場合は、**所管行政機関に間に入って説明してもらう**のも１つの方法です。

　違反であるという結論が出た場合は、販売者の了承を得た上で、指摘してくれた人にその旨を報告し、今後どう対応するか（回収手順・行政への報告など）も報告します。その後で**一連の経緯を所管行政機関に報告**します。

　所管行政機関を「ないがしろにしていい」といっているのではありません。事実の真偽が確定していない「〜かもしれない」という段階では、行政機関には報告できません。しかし、所管行政機関に報告する必要がある場合は、できるだけ速やかに報告しましょう。

＜処理の手順＞
　事故・違反の事実確認→対処案決定→納品先（販売者）への報告→指摘者への報告→行政機関（保健所など）・消費者への連絡

5 事故・違反の関係者への対応のしかた

▶ 納品先への対応

　製造者が事故・違反に気づいた場合、まず連絡すべきところは所管する行政機関ではありません。

　建前では所管行政機関へも速やかに報告するということになっていますが、まず迷惑をかける納品先（主に販売先）に連絡し、対処の承諾を取り付けてから、その後に行政機関にも報告します。

　多大のご迷惑をかけることになる納品先に第一報を入れずに、行政機関に先に連絡するというのは信義に反します。

　販売先が消費者に販売してしまう前であれば、返品してもらいます。この場合、普通、行政に報告はしません。

　消費者に販売してしまった場合、その消費者（購入者）が特定できて、なおかつ、まだ食べていない場合は、その事案ごとに行政機関に報告するべきかどうか納品先と相談して決めましょう。同じ事案でも、納品先のコンプライアンスによって対処が異なることもあります。

▶ 消費者への対応

　ネット販売など、購入した消費者が特定できる場合は、速やかに購入者に連絡を取り、返品をお願いしましょう。返品をお願いする理由を説明し、謝罪します。この場合は、事案にもよりますが、健康危害が発生していないならば行政機関に報告する必要がない場合も多いでしょう。

　購入者が特定できない・購入者に健康被害が出ているという場合は、速やかに公表する必要があります。

　「公表」の本来の主旨は、買った可能性のある消費者に情報が届くようにすることです。ですから、大手メーカーの全国で販売されているような商品であれば、全国紙の新聞に公告を掲載するようなケースもあるで

しょう。販売地域が限定されていれば、その地域の消費者に事実を知らせる方法をとる場合もあります。

健康被害が出た、あるいは健康被害が今後も起こる可能性があるのに公表しないことは、人の道に反します。法令に違反するとか、そういう低次元の話ではありません。

▶ 行政への対応

「どうしたらいいのか、わからない。誰に相談したらいいのか、わからない」という場合は、**速やかに所管行政機関に相談**しましょう。
「食品衛生法？　食品表示法？　それって何？」という、食品関連の法について知識のない人は、まずは保健所に連絡・相談するとよいでしょう。保健所の担当でない場合も、報告・相談先を教えてくれるはずです。

行政側は、事実を知った以上は法に照らした対応をするでしょう。想像もしていなかった、自社にとって不利な対応を迫られるかもしれません。しかし、行政機関に報告する義務があることと、その必要がないこととの振り分け判断ができない事業者の場合は、相談することを選択するしかないと思います。

もし報告義務があるのに、それを怠った場合は厳しい処分を受けるかもしれませんし、消費者への健康被害を拡大してしまうかもしれません。

▶ マスコミへの対応

マスコミへの対応は「意図的な違反・事故」でない限り、小規模メーカーにはあまり縁のない話です。大企業や全国的知名度の高い企業では、ちょっとしたミスに対してもマスコミが取材にくることがありますが、これは有名税といった類の話です。

しかし、マスコミが取材を申し込んできた場合、そっけなく断ってはいけません。取材に応じたくない場合でも、記者に配慮した断り方をしましょう。嫌な印象を与えれば、相手も人間です、面白くないでしょう。記事・報道のニュアンスも自社に不利益なものになることは覚悟するべきです。

どんなに応じたくなくても、記者が多少なりとも記事にできるコメントはしましょう。「ノーコメント」「取材には応じません」「責任者が不在です」といった非協力的な対応は「どうぞ、遠慮なく批判的記事を書いてください」と、記者を挑発するのと何ら変わりはありません。

● 指摘者・告発者への対応

「違反」を指摘してくる人は、ある程度以上の知識をもっていると思っておきましょう。「これはおかしいでしょう？」「これは間違っている」と具体的に指摘できると考えるべきです。

指摘者が勘違いしているだけで、実際間違いがない・違反でない場合もありますが、そういうときでも指摘者を論破するような対応のしかたはよくありません。

「あなた（指摘者）は間違っている」というようなニュアンスの言い方は、指摘者の感情を硬化させてしまう可能性が高いでしょう。やわらかくていねいな言い方で説明し、相手の自尊心を傷つけないよう配慮し、「あ～、そういうことだったら、わかる。意味が通じる」というような反応が得られるようにして、波風を立てずにことをおさめましょう。

指摘者の指摘どおり間違い・違反があったときは、ていねいにお詫びし、指摘いただいたことにお礼をいいましょう。

一方、**告発者への対応となると、プロの仕事**になります。

所管行政機関で意図的違反と判断された事案でも、民間業者間の複雑な業界事情に長年携わってきた私から見れば、何ら違反に当たらないというケースもありました。

所管行政機関とはいえ、食品会社で実務に携わった経験をもつ人はほとんどいないでしょうから、誤解する場合があります。こういう場合は、実務に精通したプロが説明にあたる必要があります。担当行政官が説明を理解できないのであれば、理解できるだけの知識・経験をもっている人、たとえばその上司に代わってもらうしかありません。

▶ 内部情報を知る人・非好意的指摘への対応

　元従業員だった人や関連する業者から悪意のある指摘をされるケースもあります。

　私が対応にあたった案件では、すべて匿名のフリーメールで最後の最後まで先方は実名を明かさないケースがありました。メールを読んだだけでも「その人の食品関連法に対する習熟度」「指摘された商品の販路」などから、ある程度人物は特定できてしまいました。
「実名を名乗らない」理由を「単に名乗らない」のか「名乗れない」のか、あれこれ想像すれば、対応は比較的楽です。このときも嫌がらせが長期化しない限り、所管行政機関・警察へ相談するつもりはありませんでしたが、何度かメールのやり取りをするうちに嫌がらせはやみました。
　匿名の人に多い傾向ではないかと思いますが、自分自身は特定されていない・されないと思い込むのか、「安易に」ネット上にさらすことがあります。やり取りはネットにさらされるものと想定し、さらされてもかまわないという覚悟は必要な時代だと思います。

　こうした人に応対・説明するには、食品関連の法に精通した人があたる必要があります。法に照らして実際に問題があるのかないのか、問題がある場合はどういう対処をするのが正当なのか、これらのことを正確に認識した上で応対・説明し、会社としてどう対処するのか、指摘した人に納得してもらえる回答をしなければなりません。
　法律にはいろいろな解釈があります、先方のご指摘はもっともでも、しかし法的には問題がないという場合もあります。ですから冷静に応対することが大切です。

5章

クレームへの「詫び状」「報告書」の書き方

1 クレームにかかわる「人」と法律

　お客様から寄せられるクレーム（苦情。最近は「お問い合せ」という穏当な言い方をする場合もあります）に対して、どう対応したらいいのか、とまどう人は多いでしょう。そこで、クレームの第一報への応対から一件落着までの流れを具体的に説明しましょう。

　また、クレームに対してお客様への「詫び状」、納品先への「報告書」の「使える」例文を収載しましたので、苦情が発生した「その時」に改めてお読みください。きっと助けになります。

　「大手メーカー」「事業規模は小さくても全国的知名度の高いメーカー」のクレーム対応では、事案にもよりますが、科学的論理的調査を昼夜問わず迅速に行なう、それが最低条件です。現代科学の粋を集めた調査（お金に糸目をつけない化学分析・改善案など）を行ない、これ以上ないというほどの誠実な対応をしても、ネット上で揚げ足をとられ、経営者の引責辞任・工場操業自粛に追い込まれる風潮があります。

　食品業界の事情を知らないために悪意なく揚げ足をとってしまう人が多いように思いますが、悪意をもっておとしめようと思う人もいるかもしれませんので、全国的知名度の高いメーカーは戦々恐々だろうと気の毒に思います。

　この本は「全国的知名度の低い小規模メーカー」向けですので、小規模食品業界で生きてきた私の実務経験をもとに、事業者の現状を勘案した実践的な内容を書いています。

　消費者にしてみれば、商品に問題がなければ苦情をいう・返金を受け取る・代品を受け取る・謝罪訪問を受ける、そういった時間の無駄・嫌な思いをすることもなかったわけで、お気の毒なことです。

　小規模メーカーは販売者より苦情に対して鈍感な傾向にあります。「消費者に大変ご迷惑をおかけした、申し訳ない。間に入って謝罪してくれ

た販売者にも申し訳ない」、そういう意識を小規模メーカーであっても持っていないと、消費者・販売者の怒りを買い、事を荒げてしまうことがあります。

▶ クレーム発生から収束までの流れ

商品の不具合を連絡してきた人が消費者か、納品先か、行政かによって対応は異なります。

事業規模が小さく、かつ全国的知名度の低い事業者であれば、回収を要するほどの不具合でない限り、商品不具合の連絡を寄せてくれた人と製造販売に関与した会社・人以外に知られることはありません。

「異常を発見した人⇔（流通に関わった企業。場合によっては行政機関）⇔製造者」の流れで連絡が回り、その逆をたどって謝罪・報告が行なわれます。商品不具合を発見した人が最終的に納得してくれたときに、その苦情対応は一応終わったことになります。

▶ クレームに介在する人・機関

購入者、販売店、卸会社、製造者、保健所、マスコミ。普通はここまでですが、意図的な犯罪と判断されたり、事件性の可能性がある場合には、事業者や保健所が警察に相談することもあります。まれな例ですが、そういう事例もあります。

輸入された食品を味見した従業員のうち何人かが体調を崩し一時入院する騒動が過去にあり、事件性の有無を判断できない状況でしたので、保健所が警察に連絡し、警察が検査分析したという事例です。

品質保証レベルの非常に高い国内工場で製造した加工食品から農薬が検出され、警察も捜査した結果、従業員が意図的に農薬をかけていたという事件もありました。

実際は、保健所以外の行政がクレームに介在することは、ほとんどありません。ただし、先々、消費者保護の観点から行政組織に変化が起こる可能性を否定することはできません。

▶ クレームと食品関連法

　問題となる食品関連法違反は、**食品衛生法・食品表示法・計量法・景品表示法**の違反です。

　食品衛生法違反は、微生物規格基準不適合、食品添加物使用基準違反です。

　食品表示法違反は、7アレルゲン（小麦・卵・乳・そば・落花生・えび・かに）と食品添加物の記載漏れ・間違い、原産地表示漏れ・間違い、原材料表示順間違いです。

　計量法違反は、内容量の量目不足です。

　景品表示法違反は、購入者が実際より優良と誤認するような表示がある場合です。

　以上のような違反を指摘されるケースは、指摘する側が高い品質保証技能・知識を有する場合に限られます。これらは純然たる法律違反ですので、単なる「クレーム」とは性格を異にします。

　一方、数としては圧倒的にこちらのほうが多いのですが、一般の消費者からのクレームです。

　異物混入・風味異常・外観異常が消費者からのクレームの大半を占めます。

　異物とは、体毛（多くは髪の毛）・虫・金属・原料由来の非可食部などです。**風味異常**は、腐敗（内容物が腐って臭う）・酸敗（さんぱい：すっぱい味がする）・原料の風味バラツキ・調味不良などが原因で起こります。**外観異常**は、過加熱によるコゲや着色・温度管理不備・光透過（光が当たると本来の色が徐々に薄くなることがある）・形状不良・酵母やカビの付着増殖などが原因で発生します。

　食品関連法違反の場合は、公表・回収が原則ですので、製造者としては、まず第一に予防に努めなければなりません。

　一般の消費者でも気づくクレームについては、回収する場合もあれば、しないですむ場合もあります。同じ異常についてのクレームが複数件発生したり、異常が健康危害を引き起こす可能性が高い場合には、自主的

に公表・回収に踏み切りましょう。

　健康危害を引き起こす可能性がある場合には、地元の保健所に連絡する義務があります。可能性があるのか・ないのか判断できないという場合には保健所に相談するのが筋ですが、「可能性はない・低い」と事業者がいえない限り、保健所としては自主回収を勧めるしかないでしょう。

2 クレームへの対応のしかた

● 消費者・製造者間の対応

　消費者からのクレームへの対応の手順がわからず、どうすればいいのか（どうすればよかったのか）という相談を受けることがあります。

　毛髪混入でお詫びにうかがい、旅費を4万～5万円かけたという話も聞きます。誠意ある対応ですが、小規模メーカーにとっては大きな経済的負担です。

　そこで、消費者に対する小規模メーカーとしての基本的なクレーム対応手順例をご紹介します。

＜電話でのクレーム第一報＞
　　↓
電話を受けた人の対応
「大変申し訳ございませんでした。担当者が不在ですので、折り返しご連絡させていただいてもよろしいでしょうか？」（お名前、電話番号を確認し、メモする。電話番号が固定電話番号でなく携帯電話番号の場合は、話の中でさり気なくお住まいの都道府県名・市名をおうかがいする。固定電話番号を教えていただいた場合は、ネット検索でお住いの都道府県を知ることができる）
　　↓
社長へ連絡
　クレームの概要（どの商品について、どのようなクレームか？　どういう方からのクレームか？　立腹度合いは？　お住まいの都道府県名は？）を消費者から電話を受けた人が社長に報告する。この段階で、どういう対応をとるか概略を決める（訪問するか、現物を着払いで返送していただくか）

↓
できるだけ早く社長から先方に電話する（一般の善良な消費者なら「わざわざ社長さんが電話してくるなんて！」と恐縮されることも多い）
　　↓

「ご迷惑ご心配をおかけして申し訳ございません。従業員からうかがったのですが……」。さらにくわしく状況をうかがう。健康被害（歯が欠けた、具合が悪くなった等）がないようなら、丁重にお詫びし、「現物を着払いで返送していただけないでしょうか？　原因を調べた上で、改めてお詫びとご報告を申し上げたいのですが」

　消費者の住所が自社と同じ都道府県内であれば「ご都合のよろしい時刻に直接現品を受け取りにおうかがいしたい」といったほうが、消費者から誠意を感じていただけるかもしれません。
　　↓

現物を受け取り次第、現物を確認し調査した上で、詫び状とお詫びの品（クレームがあった以外の自社商品2000～3000円相当。クレーム品と同品では何となく気持ち悪いと感じられるかもしれませんので、避けたほうがいいと私は思います）を発送する。場合によっては、購入代金も返金する

　以上が消費者に対するクレーム対応の大まかな流れです。
　クレーム対応は必ずこうするものだ、というものではありません。社風・経営者の考え方・販路によって苦情対応の手順は会社ごとに異なってしかるべきでしょう。

● 消費者→販売者→卸業者→製造者とたどるクレームへの対応

　製造者が食品を製造し、卸業者を通して、または直接販売者に納品し、販売者が消費者に販売する。このように食品流通が製造者→（卸業者）→販売者（食品スーパーなど）→消費者である場合、クレーム連絡はその逆をたどり、消費者→販売者→（卸業者）→製造者と連絡が回るのが一般的です。

昨今は消費者意識が高くなり、「なぜこんな不良品を販売してしまったのか、原因を教えてください」という消費者も増えました。もっともな言い分です。

　消費者がクレーム連絡してきた場合には、販売者がまず謝罪し現物を引き取ります。そして「原因の調査と二度とこういうことが起こらないよう対策を打たせます。後日改めてその報告と謝罪におうかがいいたします」と、消費者（購入者）に申し上げるのが一般的です。

　商品には製造者・加工者、または販売者などの連絡先が記載されています。販売者のみを記載している場合も最近は多くなっていますので、販売者に連絡する以外に選択肢がないという事情もあるでしょう。消費者が製造者に直接連絡してくるというケースは、昔にくらべて少なくなったと私自身は感じます。

　販売者は現物を受け取り次第、卸業者を通して仕入れている場合は卸業者に連絡し、卸業者から製造者に連絡します。販売者が製造者から直接仕入れている場合は、販売者から製造者に連絡します。現物は購入者→販売者→（卸業者）→製造者という流れで戻します。

　製造者は、**現物を確認し原因を調査**します。そして**再発防止策を立て、実行し、それらを盛り込んだ報告書を作成します**。この報告書は現物を受け取った流れを逆にたどり、製造者→（卸業者）→販売者→購入者と渡します。

　販売者はクレームに対して非常に神経をつかっています。小規模メーカーであっても「購入者、販売者、卸業者に対して大変ご迷惑をおかけして申し訳ない」という気持ちを強くもたなければなりません。しかし残念ながら、小規模メーカーの経営者にはこうした意識の希薄な人も少なくはないように思います。意識が低ければ、他者に迷惑をかける可能性大、です。

▶ 販売者・卸業者・製造者間のクレーム

　販売者・卸業者・製造者間の中でのクレームとは、最終のお客様であ

る消費者にわたる前に、販売者が異常に気づいて販売を見合わせたというケースです。こうしたケースは、業者間で解決できる問題です。

消費者の手元に渡っていないのですから、健康被害も起こりませんので、当該製造品の異常を公表する必要は通常ありません。ただし製造者は、**原因調査結果・再発防止策を書面で販売者・卸業者に提出すること**になります。「次から気をつけてください」の一言ですませてもらえることを製造者側が期待してはいけません。

▶ 消費者のクレームが保健所にもちこまれた場合

「製造者の対応が悪い」と不満をもつ消費者は多いでしょう。悪質なクレーマーもいるでしょうが、私が製造者から相談を受けた経験からいうと、「製造者の対応が悪いため、消費者の怒りを買った」という事例のほうが多くあります。

製造者側に悪気はなくても、「クレーム連絡をくれたお客様の身になって考えていない」ために、こじれることが多々あります。

こういった場合、保健所にクレームをいう消費者もいます、これは消費者としては当然の行動です。自社に連絡をいただいた後、保健所に連絡されるということは、自社のまずい対応が招いたものと反省したほうが今後のためでもあります。

それとは別に、製造者には連絡せず、直接保健所にクレームをいう消費者もいます。食品業界全体への不信感が中抜きの行動を選択させるのかもしれません。

いずれにしろ、保健所が間に入った場合、**保健所にも口頭なり文書なりの報告をする必要があります**。

小規模メーカーの経営者は、許認可権をもつ保健所への苦手意識が強い傾向にあります。しかし、筋道の通った報告をすれば、保健所もきちんと対応をしてくれます。恐れる必要はありません。

運悪く難癖をつけられたり、**金品要求が目的のクレーマーに当たってしまった場合**は、品質保証・品質管理の専門的知識を有する従業員がい

れば、「保健所に連絡する」といわれてもひるむことなく「大変お手数をおかけします。そのようにお願いします」といいきりましょう。

本当にクレーマーなら保健所に連絡はしないでしょうし、連絡してくれたほうが好都合です。保健所職員には気の毒ですが、こういったケースでは第三者である**行政機関に間に入ってもらった**ほうがいいのです。

ただし、食品関係の法律・科学方面の知識・実務に自信がない場合は、その方面にくわしい仕入先業者の信頼できる人に助言を求めることをお勧めします。個別に対処の仕方は異なりますので、無理は禁物です。

▶ 消費者と複数の保健所・製造者間の場合

他都道府県・他政令指定都市の消費者が苦情をいってくる場合、その人の地元の保健所に連絡することが多いようです。わざわざ製造者を所管する行政区の保健所を調べて、その保健所に連絡してくれた、という例を私は聞いたことがありません。

その場合、「他都道府県・他政令指定都市の消費者→消費者住まいの近隣保健所→製造者住所を所管する保健所→製造者」と連絡が回ってきます。こういう場合は、報告文書はこの逆に回します。

「保健所→保健所」と文書が回る場合には、行政機関同士なので「論理的な文面」でなければ書き直しを指示されます。小規模メーカーには頭の痛い、慣れていない作業ですので、**自社を所管する保健所に「何を・どのように書けばいいのか」教えてもらいましょう**。

保健所職員は親切ですので、報告文書に書くべき項目をていねいに教えてくれます。

もちろん、そういう面倒をかけることのないよう、日頃から食品関連法の順守に努めるべきであることはいうまでもありません。

▶ 保健所から直接、連絡があった場合

消費者から保健所に通報がないのに、保健所が製造者に異常・法令違反を連絡してくるという場合は、保健所が独自調査で商品の食品衛生上の違反疑義を把握したということです。

一般的には、保健所が食品を**収去検査**（事業者から無料で食品の提供を受け、検査する。事業者が検査をお願いするのではありません。監視目的で保健所が検査する食品を選択し、検査します）し、問題が見つかるというケースです。ズバリいうと、食品衛生法違反か衛生規範不適合です。

　食品衛生法違反は違法行為に当たりますので、公表・回収となります。衛生規範不適合（食品衛生法違反ではないが、雑菌が多すぎるなどの問題があり、指導・改善を要する状況）の場合は、公表・回収は不要である場合が多いです。

　さて、保健所から連絡があったら、食品衛生法および食品検査実務を熟知した人が保健所への対応・回答・報告にあたる必要があります。**保健所が納得する回答・報告**ができなければ、実際の違法性の有無にかかわらず、回収や公表を求められることもあります。

　回収のような対応を求められても、保健所に非はなく、残念ながら適切な回答・報告ができなかった製造者側に、説明責任を果たせなかった非があります。自社で対応できない場合は、その方面にくわしい人に頼むほうが不必要な対処が避けられる分、傷（不必要な支出）は浅くなります。

● 他都道府県・他政令指定都市の保健所から違反を指摘された場合

　他都道府県・他政令指定都市の保健所が、その担当地域で販売されている食品を収去検査し、問題が見つかることがあります。ズバリいうと**食品衛生法違反**です。

　前述の衛生規範は、食品事業者に改善指導する必要があるのかないのかを保健所が判断する基準でもありますが、衛生規範の内容は各都道府県や各政令指定都市で微妙に異なります。衛生規範不適合程度で他都道府県・他政令指定都市の保健所が製造者を所管する保健所に通報したという事例を、私は聞いたことがありません。おそらく通報はしないだろうと思います。

　食品衛生法違反の場合は、「他都道府県・他政令指定都市の保健所→

製造者住所を所管する保健所（製造者の地元保健所）→製造者」と連絡が回ってきます。

　他都道府県・他政令指定都市の保健所が食品衛生法違反と判断したからこそ、連絡してきたことになります。こういうケースでは、ほとんどの場合、公表・回収になるでしょう。

　こうなると小規模事業者では自力で対処できませんので、**地元保健所に相談し、その指示・アドバイスに従う**ことになります。

3 クレームへの「詫び状」「報告書」の書き方の実際

▶ 毛髪が混入した場合の書き方（消費者・納品先企業宛）

　異物混入のクレームでもっとも多いのが「毛髪混入」です。まずは、この例から紹介しましょう。

　消費者宛には「お詫び状」をお渡しするのが一般的です。お詫び状の骨子としては「毛髪混入の対策を、すでにどの程度行なっているのか」「今後、大幅に対策を強化できるのか」など、自社の自力・実情を踏まえた文面となります。

　「従業員は毛髪落下防止用の帽子をかぶっているか」「工場入口をはじめ、要所に作業着に付着した毛髪を除去する粘着式ローラーを設置しているか」など、**現状が改善策を打つ上でのベース**になります。

　現状では何らかの問題があり、苦情が発生したわけですから、現状の「穴」を埋める対策を打つことを考えます。「自社の実情を踏まえる」ということが詫び状を書く上で素地となりますので、文面は事業者ごとに異なり、正解は1つではありません。

　次の詫び状の例は、「従業員は帽子（野球帽または三角巾）をかぶっているが、毛髪落下防止用の帽子（髪の毛全体を覆うような食品工場用の帽子）ではない事業者」を想定した消費者宛例文です。

　小規模メーカーの雰囲気を理解してもらえる消費者であれば、現状が野球帽または三角巾であることを書いても眉をひそめることはないかもしれませんが、理解されない場合も想定されますので、「野球帽または三角巾」という具体名は書かないほうがいいと思います。

■消費者への「毛髪混入の詫び状」例①

平成○年○月○日

○○　○○様

お　詫　び　状

拝啓　○○の候、○○様におかれましてはますますご健勝のこととお慶び申し上げます。

　この度は弊社製品「○○○○○」をご購入頂き、厚くお礼申し上げます。

　多くの商品がある中、弊社製品「○○○○○」をお買い上げ頂いたにもかかわらず、髪の毛が入っており、ご迷惑ご不快をお掛け致しましたこと心よりお詫び申し上げます。

　弊社では製造にあたる従業員は毛髪が落下して混入しないように帽子を被っておりますが、毛髪混入防止の対策が不十分であったと深く反省しております。ずれないゴムつきの帽子に切り替え、落下を防止するように致します。

　大変お恥ずかしく、また申し訳なく思っております。

　末筆になりましたが、○○様とご家族皆様のご健勝を祈念申し上げます。

敬具

　　　　　　　　　　○○県○○市○○町
　　　　　　　　　　○丁目○-○-○
　　　　　　　　　　有限会社○○食品　印
　　　　　　　　　　代表取締役　○○　○○

「従業員は毛髪落下防止用の帽子をかぶっているが、工場入口に粘着式ローラーを設置していない事業者」を想定した消費者宛の例文です。

■消費者への「毛髪混入の詫び状」例②

平成○年○月○日

○○　○○様

お　詫　び　状

　弊社製品「○○○○○」をご購入頂き厚くお礼申し上げます。
　この度弊社製品「○○○○○」に髪の毛が入っていた件でご迷惑ご不快をお掛け致しました。心よりお詫び申し上げます。
　弊社では製造にあたる従業員は毛髪が落下混入しないように帽子を被っておりますが、毛髪混入防止の対策が不十分であったと深く反省しております。作業着に付着していた毛髪が製品に入ったと思われます。
　今後は工場に入る前に粘着式のローラーをかけて、作業着に付いた髪の毛を取り除いてから工場に入るように改善致します。
　大変お恥ずかしく、また申し訳なく思っております。

　　　　　　　　　　　　　　　　○○県○○市○○町
　　　　　　　　　　　　　　　　○丁目○-○-○
　　　　　　　　　　　　　　　　有限会社○○食品　印
　　　　　　　　　　　　　　　　代表取締役　○○　○○

「従業員は毛髪落下防止用の帽子をかぶり、工場入口に粘着式ローラーを設置しているが、入場時のローラー掛けが徹底されていない事業者」を想定した消費者宛例文です。

■消費者への「毛髪混入の詫び状」例③

平成○年○月○日

○○　○○様

お　詫　び　状

　弊社製品「○○○○○」をご購入頂き厚くお礼申し上げます。この度弊社製品「○○○○○」に毛髪が付着しておりました件でご迷惑ご不快をお掛け致しました。心よりお詫び申し上げます。
　混入原因を調査した結果、毛髪に焼けた跡がみられなかったことから、○○を焼き上げた後の工程で従業員の毛髪が落下付着したものと思われます。製造にあたる従業員は帽子を被り毛髪が落下しない対策をとっておりますが、入場前の作業衣に毛髪が付着していたものと思われます。入場前に行う作業衣の点検を徹底し再発防止に努めて参ります。
　大変申し訳ございませんでした。重ねてお詫び申し上げます。

○○県○○市○○町
○丁目○-○-○
有限会社○○食品　印
代表取締役　○○　○○

■消費者への「毛髪混入の詫び状」例④

平成○年○月○日

○○　○○様

株式会社○○○○○　印
代表取締役　○○○

お　詫　び　状

拝啓　○○の候、○○様におかれましては益々ご健勝のこととお慶び申し上げます。平素より格別のご愛顧を賜り厚くお礼申し上げます。

　この度は弊社商品「○○○○○○○」に毛髪が付着しており、○○様に大変ご迷惑をお掛けし、誠に申し訳なく心よりお詫び申し上げます。
　又、ご多忙にもかかわらず、現品をお送り下さり、誠に有難うございました。調査及び製造工程改善上大変参考になりました。
　現品を点検致しました結果、包装作業時に作業者の毛髪が落下付着し、出荷前の目視検査で見逃した事が事故原因と思われます。
　弊社では毛髪付着・混入防止対策としまして、作業者の毛髪が付着・混入しないよう、製造作業者は専用の帽子を被っておりますが、防止対策の不徹底を痛感致しました。「帽子の正しい着用による毛髪落下防止」と「製造場入室時、粘着ローラーによる作業着に付着した毛髪の除去」を徹底致します。

　今後このような事故を起さぬよう、従業員一同努めて参りますので、何卒この度のこと、平にご容赦を賜りたく、伏してお願い申し上げます。

本日お詫びの品をお送り致しますので、お納め頂ければ幸いです。

　末筆となりましたが、○○様とご家族皆様のご健勝とご多幸を祈念申し上げます。大変申し訳ございませんでした。

敬具

＜消費者への詫び状の作成ポイント＞
・消費者への詫び状の注意点は、事故の軽重ではなく、怒りの程度に心を向けることです。
・怒りが強い場合は、その怒りをどうやって静めるかということを第一に考えます。
・詫び状をインターネット上にさらされることが危惧されますが、そうなった場合でも事業者側がそれを妨げることはできません。全国的知名度が低い事業者であれば話題にされることもないだろうと思いますので、気にしないほうがいいだろうと思います。

次に、消費者から「毛髪混入」のクレームがきた場合、納品先にどう報告すればよいか、その例文を紹介しましょう。

> 「従業員は毛髪落下防止用の帽子をかぶっているが、工場入口に粘着式ローラーを設置していない事業者」を想定した納品先宛の報告書の例文です。

■納品先への「毛髪混入の報告書」例①

　　　　　　　　　　　　　　　　　　　　　平成○年○月○日
○○御中
　　　　　　　　　　　　　　　　　○○県○○市○○町
　　　　　　　　　　　　　　　　　○丁目○－○－○
　　　　　　　　　　　　　　　　　有限会社○○食品　印
　　　　　　　　　　　　　　　　　代表取締役　○○　○○

　　　　　　　　　　報　告　書

　平素より格別のご高配を賜り、厚くお礼申し上げます。この度は弊社製品に髪の毛が付着しており、ご迷惑をお掛けし誠に申し訳ございませんでした。原因と対策についてご報告申し上げます。
　　　　　　　　　　　　記
１、ご指摘内容
　　弊社製品「○○○○○」に髪の毛が付着していた。
２、製造工程
　　○○○○⇒目視選別⇒洗浄⇒加熱（○℃で○秒）⇒加熱（○℃で○秒）⇒冷却⇒目視選別⇒計量⇒パック詰（ラベル貼付）⇒重量・金属チェック⇒検品⇒箱詰⇒冷凍保管（－18℃以下）
３、原因調査の結果
　　毛髪に焼けた跡が見られないことから、焼き上げた以降の工程で付着したものと思われます。冷却工程以降を担当する作業者の髪の毛が落下付着し、箱詰め前の検品で見逃し出荷してしまったものと思われます。

4、対策
　①全従業員に当該毛髪を提示し、各工程の担当毎に異物混入防止の注意点を指示指導致しました（実施日：平成○年○月○日）。
　②工場入口に粘着式ローラーを設置し、作業着に付着した異物を除去するように致しました（実施日：平成○年○月○日）。

　再発防止に努めて参りますので、何卒ご容赦頂きたくお願い申し上げます。

以上

＜納品先への報告書の作成ポイント＞

・再発防止策が必要

　納品先への報告書には具体的な再発防止の対策（歯止め）を必ず書きます。「この対策なら再発しないだろう」、そう納得してもらえる対策でなければ、報告書を突き返されるでしょう。

・発生原因の特定が必要

　特定した・できたことが本来望ましい。しかし、特定できない場合は少なくとも推定（類推）することは最低限必要です。発生原因を論理的に特定できなければ本来対策の打ちようもないはずです。

・クレームの第一報を聞いた時点で、まず判断することは公表・回収の可能性のあるクレームか否か、です。第一報を聞いた時点で当該製品の消費期限・賞味期限が過ぎている場合は公表・回収する意義はほとんどありません。1分1秒を争うほど急いで報告書提出を求められることもないでしょう。一方、期限が過ぎていない場合は1分1秒でも早く、公表・回収の要・不要を判断してください。公表・回収が数日遅れたために第二の食中毒が発生したという事件が過去にあります。当該企業の社長は逮捕されませんでしたが、本来保健所が刑事告発して逮捕されても不思議ではない事件でした。

「従業員は毛髪落下防止用の帽子を被り、工場入口に粘着式ローラーを設置しているが、入場時のローラー掛けが徹底されていない事業者」を想定した納品先宛例文です。

■納品先への「毛髪混入の報告書」例②

平成○年○月○日

○○御中

○○県○○市○○町
○丁目○-○-○
有限会社○○食品　印
代表取締役　○○　○○

報　告　書

　平素より格別のご高配を賜り、厚くお礼申し上げます。この度は弊社製品に毛髪が付着しており、ご迷惑をお掛けし誠に申し訳ございませんでした。原因と対策についてご報告申し上げます。

記

1、ご指摘内容
　　弊社製品「○○○○○」に毛髪が付着していた。
2、製造工程
　　○○○○⇒目視選別⇒洗浄⇒加熱（○℃で○秒）⇒加熱（○℃で○秒）⇒冷却⇒目視選別⇒計量⇒パック詰（ラベル貼付）⇒重量・金属チェック⇒検品⇒箱詰⇒冷凍保管（-18℃以下）
3、混入原因調査結果

毛髪に焼けた跡がみられないことから、焼き上げた以降の工程で付着したものと判断しました。冷却以降を担当する作業者の毛髪が落下付着し、箱詰め前の検品で見逃し出荷してしまったものと思われます。

4、対策
　①全従業員に当該毛髪を提示し、各工程の担当毎に異物混入防止の注意点を改めて指示指導致しました。
　②工場入場前に行う粘着式ローラーでの作業着付着異物除去を徹底致します。
　③午前1回、午後1回班長が全員の作業着に粘着式ローラーを掛け、異物が付着していないか点検しチェックシートに記録します。

　再発防止に努めて参りますので、何卒ご容赦頂きたくお願い申し上げます。

以上

● 異物混入の場合の書き方（消費者・納品先企業宛）

　異物は、原料（食材）由来のものと、それ以外の金属・木片・プラスティック・虫などに大別されます。原料由来では骨・野菜の茎芯・乾燥して硬くなった原料といったものがあります。

　また、健康被害の視点からは形状・硬さによって、歯・口内・腸管を傷つける危険性の程度によって区分します。状況によっては製品の回収が必要になります。

　製造者にすれば自社の製品を熟知していますので、一目見て「あっ、これは原料のネギだ」とわかっても、消費者には異物に見える場合があります。

　そういう場合でも「これは原料のネギです。安心してお召し上がりください」といえる場合と、お客様の立腹の状況次第では「異物とご指摘いただいたものは原料のネギですが、製品の外側についており、異物のように見えましたことでご心配をお掛けしましたことをお詫び申し上げます。外側についていた場合、検品で取り除いておりますが、見逃しがありました。申し訳ございません」といった低姿勢な回答が無難な場合もあります。

　どういう回答をするかはケースバイケースです。

■消費者への「異物混入の詫び状」例

```
                                        平成〇年〇月〇日
〇〇　〇〇様
                        〇〇県〇〇市〇〇町〇丁目1－23
                            〇〇〇〇株式会社　印
                            工場長　　〇〇〇〇


                  お　詫　び　状
```

拝啓　○○の候、○○様におかれましては益々ご健勝のこととお慶び申し上げます。平素より○○○株式会社□□店様をご利用賜り、厚くお礼申しあげます。また弊社製品をご愛顧賜り、重ねてお礼申し上げます。

　さて、この度は弊社製品「○○○」に緑色の物が付着していた件で、○○様に大変ご心配ご迷惑をお掛け致しました。心よりお詫び申し上げます。

　緑色の物は「○○○」の原料として使用しておりますネギでした。ネギが「○○○」の外側に付いている場合は、包装する際に取り除いておりますが、見逃してそのまま包装・出荷してしまったものと思われます。今後このような見逃しを起こさないよう、従業員一同気をつけて参ります。

　ご迷惑ご心配をお掛け致しましたこと、重ねてお詫び申し上げます。今後も変わらず○○○株式会社□□店様をご利用賜りますことをお願い申し上げます。

　末筆となりましたが、○○様と○○様のご家族皆様のご健康を祈念申し上げます。

敬具

■納品先への「異物混入の報告書」例

平成○年○月○日

○○○株式会社
○○○様

○○県○○市○○町○丁目1-23
○○○○株式会社　印
工場長　　○○○○

報　告　書

　拝啓　時下ますますご清栄のこととお慶び申し上げます。平素は格別のご高配を賜り、厚くお礼申し上げます。
　さて、先般弊社より◯◯◯株式会社◯◯店様へ納品致しました「◯◯」に緑色の物が付着していた件について、調査の結果を下記の通りご報告申し上げます。

敬具

記

１、指摘内容
　商品名：◯◯◯　200ｇ（8個入）
（賞味期限◯◯．◯◯．◯◯、製造年月日◯◯．◯◯．◯◯）
　内容：緑色の物が◯◯◯に付着している。
２、指摘物の特定
＜検査＞
①外観観察
　　◯◯◯の具にネギを使用しております。ご指摘の緑色の物を拡大観察したところ、めくれた皮のように一部ロール状の形状でした。ネギも同様な形状です。
②食味検査
　　緑色の物の一部を取り、食味を確認したところ、ネギ特有の食味がしました。
　　形状と色の外観観察及び食味検査の結果から、緑色の物はネギと特定しました。
３、製造工程
　　◯◯◯◯◯◯→◯◯◯→◯◯◯◯◯◯◯→◯◯◯◯→◯◯→◯◯→◯◯◯◯◯→◯◯◯◯◯◯→◯◯

4、指摘物の付着原因
　　加熱処理（蒸し）工程で○○○を蒸した際、肉汁が中から浸み出て、その時にネギが噴き出し外側に付着したものと思われます。
5、対策
　　事故現品を検品者に提示し、検品時に確実に排除するよう、改めて指導しました。

　この度のネギ付着の件、重ねてお詫び申し上げます。
事故の再発防止に取り組んで参ります。何卒寛大なるご処置宜しくお願い申し上げます。

以上

■納品先への「異物混入の事故報告・改善報告書」例

平成○年○月○日

株式会社○○○　　御中
○○課　　○○○様

○○県○○○市○○町○丁目○－○
有限会社○○○○　　印
代表取締役　　○○　　○○○

商品事故報告及び改善報告書

　平素よりご愛顧を賜り誠に有難うございます。この度は弊社の商品に問題が発生し、ご迷惑をお掛けしましたことをお詫び申し上げます。原因と対策についてご報告申し上げます。今後商品事故がないよう管理を徹底致しますので、今後共ご愛顧の程お願い申し上げ

ます。

記

1．商品事故内容
　当該名　：○○○○の○○○150ｇ
　　　　　　（賞味期限○○．○○．○○、製造日○○．○○．○○）
　混入異物：さびた金属片１片【サイズ（単位：mm）：２×２】
2．異物混入原因
　①製造工程は以下の通りです。
　　原料選別⇒原料カット⇒洗浄⇒調味・加熱⇒冷却⇒選別⇒カット⇒計量⇒トレーパック詰⇒ウェイトチェッカー・金属探知機⇒箱詰⇒冷蔵保管（10℃以下）
　②金属探知機の管理状況
　　設定⇒Fe：1.5mm，SUS：2.4mm、テストピース⇒有
　　専用チェックシート：無。異常あった場合、即時管理者に報告する。
　③混入原因調査結果
　　　異物は磁石と引き合った事から、さびた鉄と判断しました。類似の物を工場内で一斉点検した結果、冷却時に使用している棚台車の鉄枠のさびが落下混入したものと思われます。
　　　台車はさびが出た場合は研磨しておりましたが、老朽化してきたため、新品に切り替える予定でした。結果として対応が遅れ申し訳ございませんでした。
　　　製造当日の始業時の金属探知機の動作確認で異常があったとの報告はありませんでしたが、改めて確認した結果、テストピースFe：1.5mm，SUS：2.4mmそれぞれを検知し正常に動作しておりました。
　　　当該異物を金属探知機にかけたところ、現行のFe：1.5mm

感度設定では反応せず、2.4mmに感度を下げたところ、検知しました。商品自体の磁気の影響を考慮して複合的に設定しておりますので、このような矛盾する結果が起こったものと思われます。

　以上の事から、棚台車の鉄枠のさびが落下混入し、金属探知機の設定感度Fe：1.5mm，SUS：2.4mmで検知できず、出荷してしまったものと思われます。

3．改善策
　①棚台車を新品に交換致します。
　　（実施予定日：平成〇年〇月〇日）
　②金属探知機の設定調整をメーカーの〇〇〇に依頼し、今回の異物を検知できる感度に調整するように致します。
　　（実施予定日：平成〇年〇月〇日）

　上記の通り対策をとり、今後このようなクレームが発生しないように努めて参りますので、何卒ご容赦頂きたく宜しくお願い申し上げます。

以上

■納品先への「異物混入への改善報告書」例

平成〇年〇月〇日

株式会社〇〇　〇〇〇店　御中

〇〇県〇〇〇市〇〇町〇丁目〇－〇
有限会社〇〇〇〇　　印
代表取締役　〇〇　〇〇〇

改 善 報 告 書

　平素より格別のご高配を賜り厚くお礼申し上げます。この度は弊社製品に異物が混入しており、ご迷惑ご心配をお掛けし誠に申し訳ございませんでした。原因と対策についてご報告申し上げます。

記

1、ご指摘内容
　当該名：○○○180ｇ（貴社保存温度変更年月日：○○.○.○）
　混入異物：白いひものような物（アニサキス）
2、異物混入原因
　①製造工程は以下の通りです。
　　原料解凍⇒原料選別⇒洗浄⇒加熱⇒冷却⇒選別⇒カット⇒計量⇒トレーパック詰（ラベル貼付）⇒量目、金属チェック⇒箱詰⇒冷凍保管（－25℃以下）
　②混入原因調査結果
　　異物は魚に寄生するアニサキスと思われます。原料選別で見逃したため混入したと思われます。
3、対策
　　原料選別にあたる従業員に現物を提示し、見逃さないよう指示しました。原料選別の点検を徹底して参ります。

　尚、冷凍及び加熱処理をしておりますので、人体に危害はありません。
　今後このようなクレームが発生しないように努めて参りますので、何卒ご容赦頂きたくお願い申し上げます。

以上

▶第三者機関（検査会社）による分析が必要な場合の書き方

　小規模メーカーでも自社で原因調査を完結できる場合もありますが、原因調査に科学的検査を要する場合もあります。そのような場合は、異物・異常物の調査は、権威ある「一般財団法人日本冷凍食品検査協会」や、業界人への知名度は高くまた調査報告スピードの速い「イカリ消毒株式会社」あたりに依頼することになるでしょう。
「自力で調査できない」という場合の流れをざっと説明します。
　製造者・加工者は「異物・異常物の混入した商品」を納品先または消費者から受け取り、自社で「それが何なのか？」特定できない場合、上記のような**検査機関に現物の分析を依頼**します。
　検査機関に分析を依頼する場合、科学的分析項目を依頼者が指定し、その指定された項目を、検査機関は予断を入れず分析機器・薬品を使って科学的分析を行ないます。
　異物分析の場合の料金は最低３万円ぐらいです。
　科学知識に自信がない場合でも、検査機関の人が「どういう分析項目があるのか、それらの分析で何がわかるのか」など親切に教えてくれます。小規模メーカーにとって心強い存在です。
　分析結果報告は科学的表現ですので、依頼者が科学に暗い場合、その報告内容は難解です。科学的知識が多少ある私でも理解できない場合がありますので、その場合は検査機関の人にかみ砕いて意味を教えてもらいます。

　私は科学分析する設備も高度な科学知識もありませんので、我流の調査方法をとることがあります。多少の知識があれば、そういう調査報告のしかたもあります。
　大手食品メーカーでは、「**主観的**」「**類推**（おそらく……と思われます）」は**極力排除**し、「**客観的**」「**検査結果**」をもとに**報告書を作成**します。
　以下の例は、あくまで小規模メーカーゆえに許容される調査報告例です。

私が「有限会社あいうえお」から異常物の調査を依頼されたと仮定すると、次のような報告書を作成します。

■「異常物の調査報告書」例

平成○年○月○日

有限会社　あいうえお　御中

佐伯食品研究所
佐伯龍夫

○○○○の青緑物調査報告書

　御社製品「○○○○」に青緑色の物が付着しており、その物の特定のため調査を行いましたのでご報告申し上げます。

＜ 記 ＞

1、クレーム内容
　　○○○○（賞味期限：平成○年○月○日）に青緑色の物が付着していた。
2、青緑物の特定調査
　　現物の青緑色部位の大きさは長さ4mm・幅1mmで、○○○○表面に薄く付着しており、滅菌ピンセットでこすると容易に粉状にはく離しました。
　　青緑色部位は、その色と形から青カビ・インキ・銅の緑青の何れかの可能性が高いと類推致しましたので、それら3種について検査・考察を行いました。
　①青カビの可能性
　　　青緑物をカビ培養用培地で25℃・5日間培養致しましたが、

カビ発生はみられず、青緑物は生きたカビではありませんでした。また、青緑物の輪郭は鮮明で、カビの特徴的所見がありませんでした。青緑物がカビである可能性は低いと推定しました。
②インキの可能性

青緑色部位は〇〇〇〇の水分や油分に溶解しておらず、インキではないと推定しました。インキは油性または水性ですので、水系・油系双方の性質を有する〇〇〇〇に滲むことなく固着するとは考え難いからです。
③銅の緑青の可能性

〇〇〇〇の製造には銅製の器具を使用しておりますので、青緑物は緑青〔塩基性硫酸銅（Cu3SO4（OH）4）〕である可能性が高いと考えられます。

一般に銅製器具は中性から弱アルカリ性の水と接触を繰り返すことにより、亜酸化銅（Cu2O）、酸化銅（CuO）、塩基性塩皮膜、あるいは珪酸銅などの保護皮膜を形成すると、次第に不働態化します。この時、高い濃度の残留塩素や溶存酸素などが存在すると、その酸化力によって銅の電位は高くなります（貴化します）。

これらの状況を総合的に判断すると、器具の洗浄に使用した水道水中の塩素による酸化性の水質が銅の電位を貴化させた。その結果、銅の保護皮膜が塩化物イオンによって破壊され、その部分から腐食反応により銅イオンが溶出して塩基性硫酸銅を生成し、器具の洗浄・点検不足から器具から〇〇〇〇に付着した可能性があると類推しました。

3、対策

銅製器具を使用する直前の洗浄後に緑青の付着がないか、除去されているか、器具を直接目視する他、食品用ペーパーで拭いて色が付着しないか確認する必要があると思います。

> ＜銅の緑青についての参考資料＞（日本伸銅協会ホームページから引用）
>
> ㈳日本銅センターでは昭和49年、前回の実験研究を再度、東京大学医学部衛生学教室、和田攻助教授（当時）に依頼し、同じテーマの中でさらに遺伝面での影響を追求課題にし、３年間にわたり急性・慢性毒性の実験研究を行いました。結論的には塩基性炭酸銅、硫酸銅を用い経口投与し観察しましたが、前回豊川教授が行った研究とほぼ一致し、遺伝面でも成長率・生存率・妊娠・出産などすべて障害になる作用は所見されませんでした。
>
> 昭和56年春、国の予算化が決まり、「銅緑青の毒性に関する動物実験」が、国立衛生試験所、国立公衆衛生院、東京大学医学部の３ケ所で実施されることとなりました。国が行った研究結果は３年後の昭和59年８月６日厚生省記者クラブで発表され、翌７日、新聞、テレビなどマスコミを通じてその全貌が公表されております。結論は、過去に東京大学医学部衛生学教室で２度にわたり行った研究実験とほぼ一致し、「緑青は無害に等しい」という判定が下されました。
>
> 　　　　　　　　　　　　　　　　以上、ご報告申し上げます。

そして、この異常物調査結果をもとに有限会社あいうえおには、次のような「納品先宛報告書」「お客様宛報告書」を書いてもらいます。

■納品先への「異常物の調査報告書」例

```
                                        平成〇年〇月〇日
 株式会社〇〇〇〇　　御中


                            有限会社　あいうえお　印
                            代表取締役　　〇〇　〇
```

○○○○の青緑物調査報告書

　平素よりご愛顧を賜り誠に有難うございます。この度は弊社商品「○○○○」に青緑色の物が付着しており、ご迷惑ご心配をお掛けしましたことをお詫び申し上げます。原因と対策についてご報告申し上げます。今後商品事故がないよう管理を徹底致しますので、今後共ご愛顧の程お願い申し上げます。

＜ 記 ＞

1、クレーム内容
　　○○○○（賞味期限平成○年○月○日）に青緑色の物が付着していた。
2、青緑物の特定調査
　　現物の青緑色の特定の調査を外部に調査依頼致しました。その結果、青緑色は製造に使用している銅製器具由来の緑青の可能性が高いとの報告を受けました（別紙ご参照願います。）。器具の洗浄・点検不足により器具から○○○○に付着した可能性があるとの指摘でした。
3、対策
　銅製器具を使用する直前に洗浄した後、緑青の付着がないか、除去されているか、器具を直接目視する他、食品用ペーパーで拭いて色が付着しないか確認するように致します。

　この度は大変ご迷惑をお掛け致しましたこと、重ねてお詫び申し上げます。

以上

■消費者への「異常物の調査報告書」例

平成○年○月○日

○○　○○様

有限会社　あいうえお　印
代表取締役　○○　○

お　詫　び　状

　拝啓　○○の候、○○様におかれましては益々ご健勝のこととお慶び申し上げます。平素より弊社製品「○○○○」をご愛顧賜り、厚くお礼申しあげます。
　さて、この度は弊社製品「○○○○」に青緑色の物が付着していた件で、○○様に大変ご心配ご迷惑をお掛け致しました。心よりお詫び申し上げます。
　青緑色は製造に使用している銅製器具由来の緑青でした。器具の洗浄・点検不足により器具から○○○○に付着したものでした。緑青に害はありませんが、食品会社として大変恥ずかしいことで深くお詫び申し上げます。
　今後は銅製器具を使用する直前の洗浄後に緑青の付着がないか、除去されているか、器具を直接目視する他、食品用ペーパーで拭いて色が付着しないか確認するように致します。
　末筆ながら、○○様と○○様のご家族皆様のご健康を祈念申し上げます。

敬具

　労力を要し大変ですが、自社で異物・異常物の調査が完結できない場合は、**調査・検査・分析機関による調査報告をもとに自社で報告書を作成し、その両方の報告書をお客様にお渡しする**、という段取りになります。

177

● 風味異常の場合の書き方（消費者・納品先企業宛）

　風味異常には「調味料の使用量を間違えた」「原料のバラツキ」「混合不十分」など「食味上の問題で**健康には影響がないケース**」と、「腐敗・酸化によって品質が劣化した状況によって**健康被害を起こす可能性のあるケース**」に大別されます。どちらにしろ回収が必要となるケースもありえます。

　明らかに腐敗というケースは、そのものだけなのか、同じ日に製造した他のものにも腐敗が見られるのか、**単発か散発かによって対応が分かれます。散発・複数発生の場合は回収**となります。

　本来、酸味が感じられない製品で「酸っぱい」という苦情が寄せられた場合、微生物の増殖によるｐＨ（ピーエッチまたはペーハー）の低下が原因かもしれません。

「酸味が感じられるが、その他の異味・異臭はない」というケースでの代表的な微生物としては乳酸菌があります。加熱して食べる食品・温めて食べる食品では苦情の現品を送ってもらって微生物検査しても、見かけ上の衛生状況は良好という検査結果が出ることもあります。

　ほとんどの微生物は熱に弱いので、食べる前（加熱前）の状態では微生物が増殖して副産物を産生し、加熱により微生物は死滅し、副産物だけが残るという現象です。

　こういう場合は、当該製品のｐＨをｐＨ測定器またはリトマス試験紙で測り、正常品とのｐＨの差・低下と異味異臭の特徴から微生物の種類を類推して報告するのが妥当かと思います。

　もちろん、酸の種類（乳酸、酢酸など）と量を測定する分析機器を有している事業者なら、それらを測定するでしょう。しかし、小規模メーカーにはその機器はありませんので、簡易的に判断することになるでしょう。

　風味異常の場合、「**安全なのか？**」という当然の疑問に回答するため、検査を行ない、その検査結果も添付して報告することをお客様から求められることがあります。

　私が検査を依頼されたとしたら、という想定での検査報告書と、その

報告書をもとに小規模メーカーが書く報告書例をあわせてご紹介します。
　私の役割（検査と報告書作成アドバイス）は、食品添加物仕入れ先の営業マンにお願いすれば担ってくれるだろうと思います。少なくとも何かしら助言はしてくれると思います。

■品質苦情に対する「原因調査報告書」例

　　　　　　　　　　　　　　　　　　　　　　　平成○年○月○日
株式会社かきくけこ御中
　　　　　　　　　　　　　　　　　　　　佐伯食品研究所
　　　　　　　　　　　　　　　　　　　　佐伯　龍夫

　　　　　　　◇◇◇◇◇の品質苦情に関する原因調査報告書

　株式会社かきくけこ様製造の「◇◇◇◇◇」が品質異常ではないかというお客様からのご指摘を受け、その原因特定のため調査を行ないましたので、ご報告申し上げます。

　　　　　　　　　　　　＜　記　＞

1、苦情の内容
　　◇◇◇◇◇（賞味期限平成○年○月○日）をご購入頂いたお客様から「購入した◇◇◇◇◇が悪くなっているようだ」というご指摘を頂きました。
2、ご指摘頂いた原因の特定調査
　　お客様のお話から当該◇◇◇◇◇が腐敗していた可能性も考えられるため、衛生状態を確認する目的で、現物の一般生菌数と大腸菌群を平成○年○月○日に検査開始致しました。
　　結果、一般生菌数は○○○○個／g、大腸菌群は陰性でした。食品衛生上問題はありませんでした。

外観・風味で官能的に腐敗を感じる場合、鋭敏な方でもその物の一般生菌数は100万個／g以上であるのが一般的です。
　お客様が変敗と誤認された理由は、製品特性である「原料魚固有の魚臭」をご自身の好みよりやや強いとお感じになったからではないか、と思います。◇◇◇◇◇の原料は天然ですので、食する餌は一定でなく、どのような餌を食したかによって、◇◇◇◇◇の風味にも多少差異がございます。
３、苦情原因のまとめ
　調査の結果、今回の◇◇◇◇◇現物には食品衛生上問題はありませんでした。苦情の原因は「製品の風味特性」と「お客様の好み」との相違によるものと思われます。

　　　　　　　　　　　　　　　以上、ご報告申し上げます。

■納品先への「品質異常の報告書」例

　　　　　　　　　　　　　　　　　　　　平成○年○月○日
○○会社○○○○御中

　　　　　　　　　　　　　　○○県○○市○○町
　　　　　　　　　　　　　　○丁目○番○号
　　　　　　　　　　　　　　株式会社かきくけこ　印
　　　　　　　　　　　　　　代表取締役　　　○○　○○

　平素より格別のご愛顧を賜り、誠に有難うございます。
　この度はご迷惑をお掛け致し、誠に申し訳ございませんでした。「◇◇◇◇◇」が品質異常ではないかという件につきまして、調査致しましたので、ご報告申し上げます。

＜ 記 ＞

１、お問合せ内容
　　◇◇◇◇◇（賞味期限平成〇年〇月〇日）をご購入頂いたお客様から「購入した◇◇◇◇◇が悪くなっているようだ」というご指摘を頂きました。
２、原因の調査
　　お客様のお話から当該◇◇◇◇◇が腐敗していた可能性も考えられるため、衛生状態を確認する目的で、現物の一般生菌数と大腸菌群の検査を依頼しました。
　　その結果、一般生菌数は〇〇〇〇個／ｇ、大腸菌群は陰性で、食品衛生上の問題はありませんでした。
　　外観・風味で官能的に腐敗を感じる場合、鋭敏な方でもその物の一般生菌数は100万個／ｇ以上であるのが一般的と聞いております。
　　この度、お客様が変敗と誤認された理由は、製品特性である「原料魚固有の魚臭」をご自身の好みよりやや強いとお感じになったからではないか、と思います。◇◇◇◇◇の原料は天然ですので、食する餌は一定でなく、どのような餌を食したかによって、◇◇◇◇◇の風味にも多少の差異が生じます。
３、苦情原因のまとめ
　　調査の結果、今回の◇◇◇◇◇現物には食品衛生上問題はありませんでした。苦情の原因は「◇◇◇◇◇の原料風味特性」と「お客様の好み」との相違によるものと思われます。
　　結果としてお客様にご不快を与えたことを真摯に受けとめ、今後の品質管理に活かして参る所存でございます。申し訳ございませんでした。

　　　　　　　　　　　　　　　　　　　　　　　　　　以上

■消費者への「風味異常の詫び状」例

平成○年○月○日

○○　○○様

　　　　　　　　　　　　○○県○○○市○町○丁目１－２３
　　　　　　　　　　　　　○○○株式会社
　　　　　　　　　　　　　工場長　○○○　○○

お詫び状

拝啓　○○の候、ますますご健勝のこととお慶び申し上げます。平素より株式会社○○△△店様をご利用賜り、厚くお礼申し上げます。

　さて、この度は弊社製造の○○○○○をお召し上がり頂きました際、いつもと味が違う、すっぱい臭いがしたとのご連絡を頂き、ご心配ご不快をお掛けしましたことを心よりお詫び申し上げます。

　現品を頂き食味の検査と細菌の検査を致しました。ご指摘頂きました通り、通常と異なり酸味が感じられました。菌につきましては、お店で焼き上げておりますのでその加熱により死滅したためか、酸味の原因となる乳酸菌をはじめ、細菌は検出されませんでした。

　品質管理用に工場で保管していた同日製造品（蒸し上げたもので、焼く前の状態）を食味の検査並びに細菌の検査した結果では、食味上また衛生上の問題はありませんでした。

　以上のことから、蒸し工程以降の温度管理不適切により、皮に微量に付着した乳酸菌が増殖し酸味が出たものと思われます。菌自体はお店で焼いた際にその熱で死滅したものと思われます。

　健康上の害はありませんが、食味上大変な問題であり、日頃よりご愛顧頂いておりますのに、ご心配ご不快をお掛け致しましたこと、重ねてお詫び申し上げます。

今後一層の品質管理に努め、再発防止に取り組んで参ります。

　厚かましいお願いでございますが、今後とも変わらず株式会社○○△△店様をご愛顧賜りますことを謹んでお願い申し上げます。

　末筆となりましたが、○○様とご家族皆様のご健勝を祈念申し上げます。

敬具

■納品先への「風味異常の報告書」例

201○年○月○日

株式会社○○御中
△△店　　○○様

○○県○○○市○町○丁目１－２３
○○○○株式会社　印
工場長　○○○　○○

報告書

　拝啓　時下ますますご清栄のこととお慶び申し上げます。平素は格別のお引き立てを賜り、厚く御礼申し上げます。

　さて、この度は弊社製品「○○○○」をお客様がお召し上がり頂きました際「いつもと味が違う・すっぱい臭いがした」とのご連絡を頂き、ご迷惑ご心配をお掛けしましたことをお詫び申し上げます。異常の原因と対策についてご報告申し上げます。

敬具

記

１、指摘内容

商　品　名：○○○○(製造日：○.○.○、賞味期限：○.○.○)
　　事故発生日：201○年○月○日
　　発 生 店 舗：株式会社○○　△△店様
　　事 故 内 容：お客様が○○○○を食べた際、いつもと味が違う・
　　　　　　　　すっぱい臭いがしたとのご指摘を頂きました。
 2、原因調査
　①官能検査
　　返送頂いた当該品の官能検査を致しました。通常に比べ酸味が感じられました。
　②細菌検査
　　返送頂いた当該品を検査した結果では、一般生菌数：300個／g以下、大腸菌群：陰性、乳酸菌：300個／g以下で、食品衛生上の問題はありませんでした。

　　○○○○の外側に微量に乳酸菌が付着することがあり、加熱工程以降の温度管理に何らかの問題があり、乳酸菌が増殖し酸味が出た可能性があると考えております。お店で焼いて頂いた際に、その熱で菌が死滅し、酸味だけが残ったものと思われます。
 3、今後の対策
　　加熱工程以後の包装・梱包・冷蔵を遅滞なく進めるとともに、配送業者へも温度管理に注意頂くよう要請致しました。

　この度多大のご迷惑をお掛けしましたこと、重ねてお詫び申し上げます。再発防止に取り組んで参ります。誠に申し訳ございませんでした。

　　　　　　　　　　　　　　　　　　　　　　　　　　　　以上

▶「微生物規格基準不適合」報告書の書き方（納品先企業宛）

　微生物規格基準不適合を指摘する側は、食品衛生についての知識があります。したがって回答する側も、検査データにもとづいた改善報告書を提出することが求められます。

　次ページからの報告書は「自社で検査できる事業者」を想定した納品先宛例文です。
　微生物規格基準不適合であるとの指摘を受けた場合は、**微生物の検査が不可欠**です。少なくとも昨日今日製造した製品の微生物状況（衛生状況）を検査で確認し、「**状況把握→改善方法検討→改善後状況確認**」の手順で調査・検討を進めます。
　微生物検査を行なった結果、問題がなければ不衛生な状況が常態化しているわけではないと弁明できますので、その当該品がなぜ微生物規格基準不適合であったのか考察し、報告します。
　製品の検査結果に問題があった場合は、原因を早急に調べて改善しなければなりません。その際は、工程の拭き取り微生物検査および工程に沿って仕掛品・半製品の微生物検査を行ない、問題点を探し出します。
　その問題点を改善する対策を打った後、もう一度同様に工程の拭き取り微生物検査および仕掛品・半製品・製品の微生物検査を行ない、改善されたことを検査結果で確認します。
　これらをまとめ、報告書を書き納品先へ提出します。これが一連の流れです。

■納品先への「微生物規格基準不適合の報告書」例①

201〇年〇月〇日

株式会社　〇〇〇　御中

〇〇〇〇株式会社　印
代表取締役　〇〇〇〇〇

〇〇〇160ｇ（4枚）基準規格外発生についての報告書

謹啓　平素より、格別のお引き立てを賜り、厚く御礼申し上げます。
　この度は、弊社の不手際により、多大なご迷惑をお掛け致しました。深くお詫び申し上げます。弊社製品「〇〇〇160ｇ（4枚）」に一般生菌数規格不適合が発生した件の原因調査と対策をご報告申し上げます。

敬白

＜ 記 ＞

1、クレーム内容
　　201〇年〇月〇日製造・賞味期限201〇年〇月〇日の「〇〇〇160ｇ（4枚）」を御社で検査頂きました結果、一般生菌数不適合である旨、弊社へご連絡頂きました。
2、原因
　　ご連絡を頂きましてから、弊社検査室での自主検査結果と製造記録を調査致しました。当該製造品の製造当日・賞味期限日の一般生菌数・大腸菌群の検査は両日とも一般生菌数：3000個／ｇ以下・大腸菌群：陰性でした。
　　製造記録では加熱工程に異常がなかったことから、加熱工程以外の調査も進めました結果、原材料の「△△△」が原因であることが分かりました。

「△△△」には、細菌が付着しておりますため、殺菌目的で、１％次亜塩素酸ソーダ液に浸漬し、その後十分に水洗いしております。この度の事故は、浸漬時に「△△△」が重なり合い、一部の「△△△」が十分に液に浸っていなかったことにより、殺菌不十分になったことが原因と考えております。
3、対策
　「△△△」の１％次亜塩素酸ソーダ液浸漬時の注意事項に、改めて「△△△をばらしながら、１枚１枚液に浸ける。」ことを加え、これを遵守致します。

　今後このようなことを起こさぬよう努めて参ります。ご心配・ご迷惑をお掛け致しました。重ねてお詫び申し上げます。

　　　　　　　　　　　　　　　　　　以上、ご報告申し上げます。

●納品先の会社が仕入れた商品をその会社の自社検査室で検査し、その結果が不適合だったため、製造者へ原因と改善の報告を求めてきた場合の報告書例です。

■納品先への「微生物規格基準不適合の報告書」例②

　　　　　　　　　　　　　　　　　　　　　平成〇年〇月〇日

〇〇〇〇株式会社　御中

　　　　　　　　　　　　　　　株式会社　〇〇〇〇　印
　　　　　　　　　　　　　　　代表取締役　〇〇〇〇〇

　　　　　　　品質苦情に関する原因調査及び改善報告

　この度は弊社製品「〇〇〇」（製造日：〇.〇.〇、賞味期限：〇.〇.〇）が微生物規格不適合であった件で、原因調査及び改善

を行ないましたので、ご報告申し上げます。

記

1、指摘内容及び当該返品の検査（検査結果は別紙参照）＊
　○○様で検査した結果、一般生菌数及び大腸菌群が不適合であったとのご指摘でした。当該返品を弊社で検査した結果、返品については一般生菌数50,000/g未満で適合でしたが、大腸菌群は不適合でした。
　○○○○様からのご指摘通り、衛生改善が必要な状況でした。

2、原因調査（検査結果は別紙参照）＊
　製品名「○○○」以外の製品には衛生上の問題が発生していないことから、他製品工程と共通の工程に衛生上の問題はないと推測されます。可能性としてフードスライサーの汚染が考えられますので、拭き取り細菌検査でフードスライサーの衛生状態を確認しました。
　検査の結果、雑菌汚染が認められました。この度の製品異常はフードスライサーによる二次汚染の可能性が高いと判断しました。

3、改善（検査結果は別紙参照）＊
　熱水（85℃以上）による熱殺菌（20リットル×3回）を行ないました。結果、フードスライサーの衛生状況は改善されました。日に一度製造開始前に同様に殺菌した後に製造した製品（製造日：○.○.○、賞味期限：○.○.○）は適合でした。
　今後月1回フードスライサーの衛生状況を拭き取り細菌検査で確認し、衛生状況の維持及び改善に努めて参ります。

以上、ご報告申し上げます。

※検査結果別紙は省略しています。

■納品先への「微生物規格基準不適合の報告書」例③

201〇年〇月〇日

〇〇〇〇〇〇〇〇御中

株式会社　〇〇商店　印
役職名　〇〇　〇〇

弊社製品「〇〇〇」衛生規格不適合に関する報告

　平素より格別のお引立てを賜り、厚くお礼申し上げます。
この度は弊社の不手際により、多大なご迷惑をお掛け致しましたことを深くお詫び申し上げます。「〇〇〇」が大腸菌群陽性でありました件の原因調査と対策をご報告申し上げます。

＜　記　＞

1、不適合内容
　〇〇〇（製造日：201〇.〇.〇、賞味期限日：201〇.〇.〇）が大腸菌群陽性であった旨ご連絡を頂きました。

2、原因調査
　201〇年〇月〇日に検査の結果、大腸菌群陽性であった旨ご連絡を頂きました。現状把握のため〇〇〇（製造日：201〇.〇.〇、賞味期限日：201〇.〇.〇）を急ぎ5検体細菌検査した結果は、製造当日検査で一般生菌数300個／g未満・大腸菌群陰性（デソキシコレート培地・BGLB培地ともに陰性）で異常はありませんでした。
　揚げ油温度は170℃～180℃と高温ですので、加熱不足による一次汚染はなく、包装作業時に二次汚染したため、規格不適合品が発生した可能性が高いと考えております。

3、対策
　始業前・昼作業再開時の少なくとも１日計２回以上、包装工程・包装作業者の手袋をアルコールで消毒することを徹底致します。また適宜衛生の維持向上に努めて参ります。

　この度は大変ご迷惑をお掛けし、重ねてお詫び申し上げます。事故を起さないよう、従業員一同努めて参りますので、今後も変わらぬご指導を賜りますことを切にお願い申し上げます。

●不適合と連絡を受けた同日製造の商品が手元にない場合は、直近に製造した商品の検査を行ない、その結果を基に、不適合の原因を類推して報告します。

■納品先への「微生物規格基準不適合の報告書」例④

　　　　　　　　　　　　　　　　　　　　　　２０１〇年〇月〇日
〇〇〇〇〇〇〇〇御中

　　　　　　　　　　　　　　　　株式会社　　〇〇商店　　印
　　　　　　　　　　　　　　　　役職名　　〇〇　〇〇

　　　　　　弊社製品「〇〇〇」衛生規格不適合に関する報告

　平素より格別のお引立てを賜り、厚くお礼申し上げます。
　この度は弊社の不手際により、御社に多大なご迷惑をお掛け致しましたことを深くお詫び申し上げます。
「〇〇〇」が大腸菌群陽性でありました件の原因調査と対策をご報告申し上げます。

　　　　　　　　　　　＜　記　＞

１、不適合内容

○○○（製造日：201○.○.○、賞味期限日：201○.○.○）が大腸菌群陽性であった旨ご連絡を頂きました。

２、原因調査
　201○年○月○日に検査の結果、大腸菌群陽性であった旨ご連絡を頂きました。現状把握のため○○○（製造日：201○.○.○、賞味期限日：201○.○.○）を急ぎ細菌検査した結果は、製造当日検査で一般生菌数300個／ｇ未満・大腸菌群陰性（デソキシコーレート培地・BGLB培地ともに陰性）でした。

　ご指摘の当該ロットを検査した結果、検査した５検体についてはすべて一般生菌数300個／ｇ未満・大腸菌群陰性（デソキシコーレート培地・BGLB培地ともに陰性）でした。

　当該品製造日の揚げ油温度は170℃～180℃で異常なく、加熱不足による一次汚染はなかったと考えております。一方、○月○日に行いました工程拭き取り細菌検査結果で、包装室のドアノブが大腸菌群陽性であったことから、断定は出来ませんが、ドアノブを介して二次汚染した可能性が高いと判断致しました。

３、対策
　ドアノブは始業前・昼作業再開時・製造終了後の少なくとも１日計３回以上アルコールで消毒致します。適宜拭き取り検査を行い、衛生の維持向上に努めて参ります。

　この度は大変ご迷惑をお掛けし、重ねてお詫び申し上げます。事故を起さないよう、従業員一同努めて参ります。今後も変わらぬご指導とご愛顧を賜りますことを切にお願い申し上げます。

以上

●製品検査の他に、拭き取り検査もできるのであれば、原因の特定（絞り込み）ができます。

▶ 消費者に体調悪化を訴えられたら

　自社製品を食べた消費者から「気分が悪くなった」「吐いた」「腹が痛くなった」というような体調悪化の苦情連絡をいただいた場合、どのように対応するか──これは悩ましい問題です。**実際に製品に問題があった場合は大変なことで、公表・回収する**のが真っ当で正しい対応です。

　ただし、同様の苦情連絡が複数ある場合を除いて、「本当に製品に問題があった」とすぐに判断できるケースは実際のところ少ないでしょう。

　消費者の体調によっては「消化機能が一時的に低下していて胃がもたれた」「もともと体調が悪かった」というケースも考えられないことではありません。
「今日はどうも食欲がない」「脂っぽいものの臂いを嗅いだだけで気分が悪くなる」ということは、誰しもあることです。

　先入観をもって消費者のせいにするのは心苦しいことですが、公表・回収は場合によっては会社の存続・従業員の雇用維持を左右します。直接的損失のほか、企業イメージの低下、風評被害による販売不振といった負の連鎖が起こるかもしれません。「消費者の健康・安全を第一に、万が一を思い公表・回収する」ことは、善良で誠実な事業者でもためらうでしょう。

　こういった体調悪化の連絡を受けた場合にどうしたらいいか、あくまで1つの考えをご紹介します。これが正しいとはいえないかもしれません。非常にむずかしい問題ですので、お読みになられた方がそれぞれお考えいただくようお願いします。

　まず、知っておくべきことは、**「症状はどの程度なのか」「医師の診察を受けたかどうか」「入院したのか」「症状を訴えている消費者は1人か、複数か」**といったことです。
「医師の診察を受けるほどではなかった」あるいは「通院せずに体調が回復した」「症状を訴えている消費者は1人である」、以上の条件を満たしている場合なら、回収は要しないと私は判断します。

　以下にそういうケースのお詫び状・報告書例を紹介します。

■消費者から体調悪化を訴えられたときの「検査報告書」例

平成○年○月○日

○○　○○様

株式会社　○○商店　印
役職名　○○　○○

検査報告書

拝啓　○○の候、ますますご健勝のこととお慶び申し上げます。平素より○○○○店様をご利用賜り、厚くお礼申し上げます。

　さて、この度は弊社製造の○○○をお召し上がり頂きました際、体調を崩されたと伺いました。その後ご体調はいかがでございましょうか。多くの商品の中から、弊社○○○をお買い上げ頂いたにもかかわらず、この度のような結果に至り、さぞご不安を抱かれたことと存じます。お届け頂きました品を検査致しましたので、結果をご報告申し上げます。

　当該品をひとつずつ食味した結果では異常は感じられませんでした。次に当該品を混合し、その中からサンプルを3つ採り、細菌検査を行いました。その結果、大腸菌群・黄色ブドウ球菌・サルモネラがいずれも陰性で当該品の衛生状況に問題はありませんでした。

　この度頂いた当該品を検査した結果、品質上問題はなかったものと考えております。

　○○○業界におきまして販売不振が続く中、お買い上げ頂きましたことに厚くお礼申し上げます。今後とも変わらず○○○○○店様をご愛顧賜りますことを謹んでお願い申し上げます。

敬具

5章◎クレームへの「詫び状」「報告書」の書き方

原因調査の結果、自社製品に問題があった場合は、もちろん誰しも誠実に対応するでしょう。しかし、問題がなかった場合でも「自社製品に問題はない！」という事実を強調して**消費者の心証を悪くするのは得策ではありません**。話がこじれたり、事態が複雑になるもとです。

　ただし、間に販売者が介在している場合は、**販売者には**「**自社製品に問題はなかった**」**事実ははっきり伝えましょう**。そして、消費者に不快感をできるだけ与えない文面で報告書を書くことを了解してもらいましょう。

■納品先への「『消費者の体調悪化』の検査報告書」例

　　　　　　　　　　　　　　　　　　　　　　　201○年○月○日
○○○株式会社御中
○○部○○課　　○○○○様

　　　　　　　　　　　　　　　　　　株式会社　　○○商店　印
　　　　　　　　　　　　　　　　　　役職名　　○○　○○

　　　　　　　　　　　　　検査報告書

拝啓　時下ますますご清栄のこととお慶び申し上げます。平素は格別のお引き立てを賜り、厚くお礼申し上げます。
　さて、この度はお客様が弊社製品「○○○」をお召し上がりになった後、気分が悪くなられたとのご連絡を頂きました件につきまして、当該品の検査結果をご報告申し上げます
　　　　　　　　　　　　　　　　　　　　　　　　　　　敬具

　　　　　　　　　　　　　　記

1、指摘内容
　　商　品　名：○○○（製造日：○.○.○、賞味期限：○.○.○）

事故連絡日：201○年○月○日
　　発 生 店 舗：○○○株式会社　○○○○店様
　　事 故 内 容：お客様が○○○を食べた後、嘔吐された。○○○に
　　　　　　　　原因があったのではないかとのお申し出を頂いた。
2、検査内容
　①官能検査
　　　返送頂いた当該品各個すべての官能検査を致しました。その結果では異常は感じられませんでした。
　②細菌検査
　　　返送頂いた当該品を混合し、その中からサンプルを3つ採り、細菌検査を致しました。その結果、食中毒菌の原因となる大腸菌（E.coli）・サルモネラ・黄色ブドウ球菌は陰性で、当該品の衛生状況に問題はありませんでした。

　この度頂いた当該品を検査した結果、品質上問題はなかったものと考えております。今後一層品質管理に注力して参ります。今後ともご高配の程お願い申し上げます。

　　　　　　　　　　　　　　　　　　　　　　　　　　以上

▶「期限表示間違い」の場合の書き方（消費者・納品先企業宛）

　期限表示の日付を間違えた場合は、基本的に公表・回収です。しかし、購入者が特定できる場合、たとえばネット販売では購入者をすべて特定できますので、個別回収はしても公表の必要はありません。

　公表の意義は購入者の健康を損ねないために、「速く」「広く」知らせて購入者に気づいてもらい、食べないように注意を喚起することです。間違い・違反を広く知らしめて「懺悔（ざんげ）」するためではありません。

　ただし、悪質・重大な違反については、たとえ緊急性がなくても「みせしめ」として消費者庁のホームページ上などで公表されます。

■消費者への「期限表示間違いの詫び状」例

```
                                    2015年11月○日
○○　○○様

                              有限会社　○○○　印
                              代表取締役　○○　○○


                  お　詫　び　状


拝啓　○○の候、○○様には益々ご健勝のこととお慶び申し上げます。
　弊社商品をご購入下さり、厚くお礼申し上げます。

　この度はご購入頂きました弊社製品「○○○○」の賞味期限日付が本来15. 11. 07であるべきところ、15. 1. 07となっていたことで大変ご心配ご面倒をお掛け致しました。申し訳ございませんでした。
　返送頂いた現物を確認致しました。商品のパッケージにシワがあり、その上に捺印したため、くぼんだ部分に印字がされなかったものと思われます。今後は日付捺印後の印字確認を徹底して参ります。
```

本日お詫びの気持ちと申しましては誠に恐縮ではございますが、弊社商品詰め合わせを添えさせて頂きました。ご賞味願えましたら幸いに存じます。

　末筆となりましたが、○○様とご家族皆様のご健勝とご多幸を祈念申し上げます。
　大変申し訳ございませんでした。

敬具

■納品先への「期限表示間違いの報告書」例

2015年11月○日

○○御中

有限会社　○○○　印
代表取締役　○○　○○

報　告　書

　平素より格別のご高配を賜り厚くお礼申し上げます。この度は弊社製品の賞味期限日付印字に一部欠損があり、ご迷惑をお掛けし誠に申し訳ございませんでした。原因と対策についてご報告申し上げます。

記

1、ご指摘内容
　弊社製品「○○○○」の賞味期限日付が本来15. 11. 07であるべきところ、15. 1. 07となっていた。

2、原因調査結果

　　現物を確認致しました。商品のパッケージにシワがあり、その上に捺印したため、くぼんだ部分に印字がされなかったものと思われます。箱詰め前の検品で印字欠損を見逃し出荷してしまったものと思われます。

3、対策

　①検品・箱詰め担当者に現物を見せ、日付印字不良を見逃さないよう注意喚起しました。今後も適宜指導教育して参ります。

　②検品・箱詰め担当者の目の疲労による見逃しを防止するため、30分毎に担当者交代を致します。(実施開始日：2015年11月○日)

　再発防止に努めて参りますので、何卒ご容赦頂きたくお願い申し上げます。

以上

● 「期限表示間違い商品が流通する可能性はゼロである」、そう論理的に説明できない場合、大手メーカーなら何ら迷うことなく公表・回収です。

● 包装不良の場合の書き方（消費者・納品先企業宛）

　包装不良は、その食品自体の特性・包装形態・流通温度の組み合わせによって起こり得る不良事故で、その種類はさまざまです。

　袋詰め・トレー詰め・ビン詰め、含気包装（空気を抜いていない包装）・真空包装（空気を吸引して抜いた包装）・窒素充てん包装など、包装の形態は多種多様です。さらに流通温度帯は大まかにでも室温・冷蔵・冷凍があります。

　起こる不良事故はさまざまですが、ここでは真空包装の袋に小さな穴（ピンホール）が開いたという場合の例文を紹介します。

■消費者への「包装不良の詫び状」例

　　　　　　　　　　　　　　　　　　　　　201〇年〇月〇日
〇〇　〇〇様
　　　　　　　　　　　　　　　　株式会社　〇〇〇　印
　　　　　　　　　　　　　　　　代表取締役　〇〇　〇〇

お 　詫 　び 　状

拝啓　〇〇の候、〇〇様には益々ご健勝のこととお慶び申し上げます。
平素より格別のご愛顧を賜り厚くお礼申し上げます。

　この度は「〇〇〇〇（真空包装）」（賞味期限：201〇.〇.〇）が真空漏れしていた件では、〇〇様に大変ご心配ご迷惑をお掛け致しました。心よりお詫び申し上げます。
　また、原因調査と再発防止のために現物をお送り願いたいとの当方の勝手なお願いに対し、快く応じて下さいましたことにお礼申し上げます。ありがとうございました。調査及び再発防止立案上、大変参考になりました。

現品を点検致しました結果、袋に小さな穴があいていました。真空包装後、金網に乗せて蒸し、冷却後箱詰めしております。金網の一部が破損しており、そこに引っかけてしまったために穴があいたものと思われます。
　破損部を修理致しました。今後は毎日金網に破損がないか必ず点検するように致します。弊社の落ち度により○○様に大変ご迷惑ご心配をお掛け致しました。重ねてお詫び申し上げます。

　今後このような事故を起さぬよう、従業員一同努めて参りますので、何卒この度の事平にご容赦を賜りたくお願い申し上げます。
　本日お詫びの品をお送り致しますので、お納め頂ければ幸いです。

　末筆となりましたが、○○様とご家族皆様のご健勝とご多幸を祈念申し上げます。
　大変申し訳ございませんでした。

敬具

■納品先への「包装不良の報告書」例

201○年○月○日

○○○○○株式会社　御中

○○県○○市○○町字○○12
株式会社　○○○○　印
代表取締役　○○○　○

報告書

拝啓　時下ますますご清栄のこととお慶び申し上げます。平素は格別のお引き立てを賜り、厚く御礼申し上げます。

さて、この度は弊社製品「〇〇〇〇（真空)」が真空漏れしていた件で、関係者の皆様に多大のご迷惑をお掛けし、心よりお詫び申し上げます。事故の原因と対策につきまして、下記の通りご報告申し上げます。

敬具

記

１、事故内容
　　商　品　名：〇〇〇〇（真空)
　　　　　　　　（製造日：201〇. 〇. 〇、賞味期限：201〇. 〇. 〇)
　　事故発生日：201〇年〇月〇日
　　事　故　内　容：15パック中１パックの袋が膨らんでいた。ボイルしたところ、袋内にお湯が入り使えなかった。

２、真空漏れの原因
　　真空状態を梱包の際に確認した時点では問題はありませんでした。出荷後に段ボールの中で袋と袋がぶつかり合い、その衝撃で袋に穴があいたと思われます。

３、今後の対策
　　配送委託した〇〇運送株式会社に今回の事故を伝え、荷扱いに注意することをお願いしました。通常、株式会社〇〇運輸に配送を委託しておりますが、この度は〇〇運送株式会社に委託しておりました。〇〇運送株式会社への荷扱い注意伝達が十分でなかったことを反省し、各配送業者へ荷扱い上の注意伝達を徹底して参ります。

　大変ご迷惑お手数をお掛け致しました。重ねてお詫び申し上げます。今後商品管理に一層励めて参ります。

以上

食品業界の関連用語解説

　食品業界には、一般にはあまり使われない言葉がたくさんあります。通り一遍の用語解説はインターネットでもすぐに調べられますので、少しだけた用語解説を掲載します。

【　あ　】

・ISO22000（あいえすおー　にまんにせん）

　「International Organization for Standardization（国際標準化機構）が出した国際規格（International Standard）で、通し番号22000の規格」の略です。

　「安全な食品を生産（製造）・流通・販売するための世界中で通用する統一された国際規格」のことです。HACCP（ハサップまたはハセップ）は「安全な食品を生産（製造）するための域内規格」と理解ください。HACCPについては「は」の項でもう少し詳しく説明します。

・「味がおかしい」

　消費者からこういう苦情がきた場合、安全上問題があるのか・ないのかの2通りで考えます。

　はじめてその商品を食べた場合、他社類似商品の味に慣れている消費者であった場合、あるいは自身のイメージしていた味と異なった場合、違和感を感じるものです。「味がおかしい、変だ」といわれた場合、その商品を着払いで返送いただき、現物で風味を確認しましょう。その結果、確かに味が違う場合は原因を調べる必要があります。

調味料が均一に混ざっていたか、あるいは腐敗していないか。調味料が均一に混ざっていない場合、他の購入者からも苦情が寄せられる可能性があります。

「安全上の問題はない」場合でも、本筋としては「品質に問題あり」で回収です。腐敗しているかという点については、臭いを嗅いだだけで判別がつきますが、腐敗していない・悪くなっていないと問合せ者に納得してもらうには、菌の検査を行ない、その結果も付して回答します。

安全上問題がある場合は、もちろん公表・回収です。

・アフラトキシン

ある種のカビがつくる毒。この種類のカビは主に熱帯〜亜熱帯にいるそうです。国内でもこの種類のカビが見つかっていますので、工場内でカビが繁殖しないよう注意してください。

・アルコール

アルコールとは「〜ノール」と名のつく物質の総称です。食品業界で単に「アルコール」といった場合、「エタノールを主成分とする静菌剤（せいきんざい）」のことを意味します。

エタノールは殺菌効果があり、手・器具・備品の殺菌・静菌（菌の増殖を抑えること）に広く使われています。また、エタノールはアルコールの一種で酒の主成分です。

食品業界で静菌剤として使うアルコールは、「エタノール＋食塩（または酢など）」です。「エタノール単品」または「エタノール＋水」では、酒税法でそのまま飲用にできるものとして、高い税金がかかります。酢や食塩を少量入れることで、わざわざ飲用不適（まずくて、とても飲めない！）にした、廉価なアルコール（もちろん健康に害はありません）を使っています。

・アレルギー

食品業界でアレルギーといえば、普通「食物アレルギー」のことを指します。ある種の食品を飲食したときに、何らかの症状が出ることを指します。アナフィラキシーショック（急に重い症状が出る）

の場合は命にかかわります。
・アレルゲン

アレルギーを引き起こす食品または食品成分のこと。たとえば小麦（食品）や小麦タンパク（食品成分）があります。

包装された食品には、7つのアレルゲン（小麦・卵・乳・そば・落花生・えび・かに）が表示義務となっています。

また、表示することが推奨されているアレルゲンは「あわび・いか・いくら・さけ・さば・牛肉・鶏肉・豚肉・大豆・まつたけ・やまいも・オレンジ・キウイフルーツ・もも・りんご・くるみ・ゼラチン・バナナ・ごま・カシューナッツ」の20種類です。

米に対してもアレルギーを起こす人がいますので、生協系・学校給食では自主的に米もアレルゲンとして表示している場合があります。

【 い 】

・一般生菌数

「食品1グラム中の生きた菌の数（菌の塊の数）」です。この数が少ないほど衛生的な食品と判断します。同じ意味で「生菌数」「細菌数」という言い方もします。

・遺伝子組み換え作物（GMO：ジーエムオー）

遺伝子を人工的に組み換えることにより、品質改良された作物のことです。まったく異種動植物の遺伝子を組み換えることも、場合によっては可能です。

遺伝子組み換え作物で、国内流通が許可されている作物、またはそれらを使用した食品は、大豆（枝豆、大豆もやしを含む）、とうもろこし、ばれいしょ（じゃがいも）、菜種（なたね）、綿実（めんじつ）、アルファルファ、てん菜（砂糖の原料）です。

ただし、消費者が敬遠する傾向がありますので、実際にはあまり使われていません。

- 異物

　　異物は「本来その食品に入っていないはずのもの」です。細かく切って入れられるはずのものが大きいまま入っているという場合も、消費者からすれば異物です。「変なものが入っている」と消費者が感じれば、それは「異なるもの（異物）」になりますのでご注意ください。

- 印字ミス

　　印字ミスで多いのは、日付印字の間違いです。残念ながら、人間はミスをするもの。回収が散発しています。2人で間違いがないか点検（ダブルチェック）、あるいはそれ以上の人数をかけて点検しましょう。

【　え　】

- 衛生的

　　生きた微生物の付着が少ないことを一般的に「衛生的」といいます。見た目にきれい・汚れていないことを衛生的というときもありますが、厳密には正しくない言い方です。必ずしも「見た目にきれい＝衛生的」ではありません。

　　見た目にきれいでも生きた微生物がたくさん付着していることもありますし、逆に、見た目が汚くとも衛生的な状態にあるということはあります。熱湯などで加熱殺菌している場合です。

　　そうはいっても、汚れ（食材のカス・油汚れなどの付着した有機物）は微生物のエサになりますので、少量の微生物しか付着していなくてもエサがあると短時間で増えることがあります。

　　「見た目は汚いが加熱殺菌しているから衛生的」とは考えないほうがいいでしょう。

- 栄養成分表

　　学校給食や病院給食に食品を売るときには「栄養成分の値を必ず連絡する」ことと健康増進法で定められています。これは実測値ま

たは計算値で報告します。実測値は「実際にその食品を機器や薬品を使って分析測定した値」で、計算値は「日本食品標準成分表をもとに計算で出した値」です。

・X線異物検出機

　X線異物検査機ともいいます。食品用のレントゲンです。食品の透視写真が白黒で写し出されます。食品にX線を当てると、固いものが濃い黒色に写ります。

　これで、食品の中に入ってしまった金属片・石・ガラスを見つけることができます。ただし、これらの異物もあまり小さいと見つけられません。金属については、金属検出機のほうがもっと小さい金属を見つけられる場合もあるようです。

　比重の軽い異物は一般に見つけるのはむずかしいものです。次世代の機器として個人的に期待しているのは「テラヘルツによる異物検査機」です。

・NB商品

　ナショナルブランド商品の略です。製造会社が自社の社名を表示している商品のことです。反意語はPB商品（プライベートブランド商品）です。PB商品の説明は225ページをご覧ください。

・エンテロトキシン

　黄色ブドウ球菌による食中毒は、このエンテロトキシンによって起こります。黄色ブドウ球菌が食品1グラム当たり100万個以上に増えると、この毒をつくるといわれています。ただし「100万個未満ならいいんだ」ということではありませんので、念のため。

・塩分

　塩分といえば、普通「食塩分」のことです。厳密に食塩分を意味する言葉は食塩相当量です。食塩相当量は、ナトリウム（Na）に「2.54」をかけて算出します。

【　お　】

- お詫び

　主に消費者個人への謝罪文書の表題。苦情・事故を起こした場合には、口頭でお詫びするだけでなく、謝罪文書を提出することがあります。企業・団体に対しては、報告書・改善報告書・始末書・顛末書（てんまつしょ）といった表題で書くのが一般的です。

【　か　】

- 回収

　「消費者に売ってしまったものまで回収する」という例は限られます。健康被害が出るおそれのある場合は公表して回収しますが、健康被害を伴わないと判断されるケースでは、店頭にある分・販売者の手元にある分に限定して回収というケースが多いでしょう。

　基本的に回収は、自社製品を納価（製造者が販売者または卸業者に売った価格）ではなく、売価（販売者が消費者に売る価格）で買い取ることになります。売った価格のおよそ２倍で買い取ることになりますので、損失は消費者が思っているような額ではすみません。

- 改善報告書

　問題を起こしてしまった後、設備やチェック体制などを改善し、一連のことをまとめて納品先などへ提出する報告書。

- 貝毒

　貝自体が毒をつくるのではなく、一部有毒なプランクトンを食べて貝の中で蓄積された毒です。

- 加害者

　善意の第三者（食品関連法違反の原料と知らずにそれを購入し、販売したり、原料として使用し食品を製造した事業者）は一義的には被害者です。しかし、自らが販売した先の事業者・消費者に対しては加害者の立場です。そのことは重々心得る必要があります。

「自分も被害者だ」という強いいきどおりが販売先の事業者・消費者に伝わると「無責任」「当事者意識の欠如」と印象づけられるリスクが発生します。こうなれば「善意の第三者」というイメージが損なわれます。

　販売先・消費者に対して申し訳ないという気持ちがはじめに十分伝わってこそ、販売先・消費者から「あなたも被害者でしょう」という同情（企業イメージを損ねない感情）を向けてもらえるものです。この点は、日頃からよくよく念頭に置いておくことが大切です。「巻き込まれる」災難はいつやってくるかわかりません。それは今日かもしれません。

・加工者

　加工とは「そのものに実質的な変更をもたらさない行為」です。「魚・食肉・ハム・野菜を切っただけ」「パック詰めしただけ」などが加工にあたります。こういう加工を行なった事業者を加工者といいます。

　「実質的な変更をもたらす行為」が製造で、その製造を行なった事業者を製造者といいます。

・加工助剤

　加工助剤とは、次のようなもののことです。

　食品の製造の際に使用されるが、①完成前に除去されるもの、②その食品に通常含まれる成分に変えられ、その量を明らかに増加させるものではないもの、③食品に含まれる量が少なく、その成分による影響を食品に及ぼさないもの。

・過酸化物価（かさんかぶっか）

　POV（Peroxide Value）ともいいます。油が悪くなっていないかどうか、の程度を示す値。この値が大きくなるほど油脂が悪くなっている、ということになります。油の変質の程度を表す値としては、別に酸価（さんか）というものもあります。

・カンピロバクター

　飲食店、とくに焼き肉店では注意が必要な菌です。鶏肉やレバー

を生の状態でお客さんのテーブルに運び、お客さんが自分で焼いて食べる業態の場合は、いつこの菌で食中毒が起こっても何ら不思議ではありません。肉の鮮度と関係なく「十分加熱する」、それがこの菌による食中毒を予防する唯一の方法です。

　飲食店は食中毒予防に神経をつかっているだろうと思いますが、焼肉店で食中毒が起こるか起こらないかは、お客さんの食品衛生知識・意識次第です。

　お客さんが十分加熱せずに食べて食中毒になった場合でも、その店は保健所から営業停止処分（一般的には2〜3日間）を受けます。加工食品ではあまり関係のない菌ですので、どんな菌かということを知識として知っておくだけで十分でしょう。

【　き　】

・機能性食品

　企画・開発には薬学・医学の知識が必須です。科学に相当明るい団体の協力が不可欠でしょう。小規模メーカーには資金的にもハードルが高いです。興味・関心のある小規模メーカーは、まずは地元都道府県の産業振興部局に相談することをお勧めします。

　私の技能・知識レベルでは助言は到底できません。

・キャリーオーバー

　原材料に食品添加物が含まれていても、その原材料を使用して製造・加工した食品には、その食品添加物を表示しなくてもいい場合があります。

　こういう場合、「キャリーオーバー（持ち越し）なので、表示しなくてもいい」という言い方をします。表示してもいいし表示しなくてもいい、ということです。

　原材料の段階では、その添加物が効果を発揮しても、その原材料を原料として製造・加工した食品では、その食品添加物が効果を発揮できる量より少ない量しか含まれていない場合、キャリーオーバー

とできます。

　しかし、着色料はキャリーオーバー扱いにはできない場合が多いです。

・**強調表示**

　栄養成分について「たっぷり」（≒高い・多い）という表示をするには、栄養表示基準の基準（42ページの「強調表示の基準－1」）を満たす必要があります。

　味覚に関する表示（「うす塩味」「甘さひかえめ」など）は栄養表示基準（強調表示の基準）の適用対象外ですので、基準を満たさずとも使える表示です。

　一方、「あま塩」「うす塩」「あさ塩」などの表示は、栄養表示基準（強調表示の基準）の適用対象ですので、基準（43ページの「強調表示の基準－2」）を満たしていないと使えない表示です。具体的には、「食品100g中のナトリウム量が120mg以下」でないと「あま塩」「うす塩」「あさ塩」という表示はできません。

　「うす塩味」は適用対象外、「うす塩」は適応対象（表現根拠を証明するための栄養成分分析が必須）。私は頭が混乱してしまいます。

　ややこしいのですが、「店頭で表示されるPOPやポスターなど、食品の容器包装および添付文書以外のものに栄養表示する場合は、栄養表示基準は適用されないものである」（健康増進法第31条の2ただし書）となっています。

　しかし、場合によっては景品表示法に抵触する可能性はあるだろうと思います。なんとも法律は難解です。

・**金属検出機**

　食品に金属（金属異物）が混入していないかどうか、調べる機械です。工程稼働の開始前・終了後にテストピース（FeとSUSの2種）で検出感度が設定どおりであることを確認・記録してください。クレームが発生したときに記録がないと問題が複雑化します。

【 く 】

- クレーマー

　不当な因縁をつける人。金品をもらう目的あるいはストレス解消目的で販売店・製造者に苦情をもちこむ人です。

　しかし、商品に異常があって、あるいはあると誤認して連絡した人が、徐々に態度を硬化させることがあります。これは事業者側の対応に誠実さが感じられず、不信感・不快感を抱いた場合に見られる傾向です。

　善良な消費者が求める誠実さとは「金品」ではありません。文字どおりの「心」です。おざなりな対応は厳禁です。謝罪の言葉・お詫び状では気が済まないと思ったら、お詫びの品を添えるのも、ありです。

　消費者・事業者の当事者間だけでは収拾がつきそうにない場合は、保健所職員には申し訳ないですが、保健所に収拾役をお願いしましょう。その場合でも、消費者が自発的に「保健所に通報する！」といってくれるように話をもっていき、「大変お手をわずらわせて申し訳ございません。そのようにお願いします」という筋書きでいきましょう。事業者側が「保健所に連絡し、対応指示を仰ぎます」といえば、相手がクレーマーなら激高するかもしれません。あくまで消費者が自発的にいってくれるように話をもっていったほうがいいと思います。クレーマーなら保健所に連絡しないでしょうし、連絡してくれた場合には保健所の指示に従えばいいだけです。

　食品事業者にとって保健所は敬意を払い畏怖する存在ですが、恐怖する相手ではありません。保健所の食品衛生監視員は総じて親切です。

- クレーム

　消費者が、買った商品に問題があったと、購入店・製造者に連絡すること。消費者にとっては「自己嫌悪を感じる行為」「面倒な行為」「腹立たしい行為」。「難癖・言いがかり」をクレーム・苦情という

場合もありますので、「お問い合せ」「お申し出」という穏当な表現を使うことが多くなりました。

【 け 】

・「**検討する**」「**検討します**」

　禁句。これは「やらない」「できないかもしれない」と同じ意味です。社外文書には使えない表現です。

【 こ 】

・**工場見学**

　消費者の方の工場見学は社会見学ですので、ケガをさせないよう、好印象をもってもらえるよう、気を配ることに注意を向けます。

　一方、納品先が工場を見にくるという場合は査察・監査です。この場合は、受け入れる工場側は、相当神経をつかうことになります。

・**抗生物質**

　食品業界では、畜産・水産で食用動物を飼育する際、病気にかからないよう、餌に混ぜて使うことがありますが、食品製造業では製造には使いません。

　原料や製品のカビ検査に抗生物質の１種のクロラムフェニコールを使うことがありますが、工場の中で使うわけではありませんので、製品に混入・付着することはありません。

・**公表**

　これは健康被害が出るおそれのある場合に「食べないで！」と、特定できない購入者に広く呼びかけるために行ないます。

　法令順守意識の高い事業者の場合は、健康被害のおそれのない違反・間違いでも公表・回収するケースがあります。大手企業が販路に絡む場合には、そういうケースも多くあります。

・公平性

　追い詰められた中小企業のみが使える「伝家の宝刀」。「業界の慣行」「他社の事例を参考に」など、処分するなら公平にということを行政側に迫る、"窮鼠猫を食む"戦法です。厳格な処分・対処をされる瀬戸際に、そうされては「倒産」「納品先関係者にも責任が及ぶ」というときにのみ使う捨て身の戦法です。

　行政に食って掛かるということは、それ相応の覚悟が必要です。この神通力はたった一度しか使えません。覚悟の上の乾坤一擲ゆえに効果があります。

　相対的判断ではなく絶対的判断で動くことを社会から求められる大手企業では、残念ながら使えません。

【 さ 】

・細菌

　食品業界では、（細菌）＝（微生物）－（カビ・酵母）です。

・細菌検査

　食品の安全性を確認する基本検査は、官能検査（食味検査）と細菌検査です。これ以外の安全性に関する検査は、高額な機械設備・特殊な薬品・高度な検査技能者が必要になります。大手以外ではなかなか手が出せません。

　安全性確認の意味で行なう官能検査は、五感で実際に確認します。小規模な事業者が行なえる、そしてどんな安全性確認試験よりも有効な検査方法です。

　官能試験・検査には科学的論理的手法もありますが、単純に「食べる」ということがまず大切です。

・酸化

　一般的に使われる意味は、時間がたつにつれ、空気中の酸素がついて品質が劣化することです。

- 酸価（さんか）

    AV（Acid Value）ともいいます。酸化を書き間違ったわけではありません。油が悪くなっていないか、その程度を示す値。この値が大きくなるほど油脂が悪くなっている、ということになります。

- 産地偽装

    産地偽装は大別して３種類。

    ①価格の安い産地の食材を、価格の高い産地の食材と偽って販売するケース。不当な利益が発生する

    ②消費者が安全性を不安視している産地の食材を、安全性が不安視されていない産地の食材と偽って販売するケース。多くの場合、不正な利益が発生する

    ③納品先から特定の産地の食材を求められ、数量が集まらず他産地の食材を偽って供給するケース

    ①は悪質。②は在庫を抱えた業者が追い詰められてやってしまう可能性もあります。不当な利益を得ることを目的として行なうケースもありますが、在庫をさばくことが目的だったが、結果として不当な利益を得たというケースもあります。

    ③は「納品先に迷惑をかけたくない」「今後取引してもらえないのではないか」、そういう心理でやってしまうのかもしれません。私個人としては③の違反には多少気の毒に思う気持ちもあります。

- 残留農薬

    残留農薬基準は人体に影響がない濃度に設定されていますので、基準値の十数倍程度の濃度では、相当期間食べつづけない限り健康への影響はない、と判断されます。

    「残留農薬基準を超えており違反だが、健康への影響はない」と行政が発表するのも、そういう理由からです。

    残留農薬の検査には１回数万円単位の費用がかかりますので、規模の大きくない事業者が日常的に検査機関に検査依頼できるものではありません。残留農薬を疑う苦情が寄せられた場合でも、安易には依頼できません。頭の痛いことです。

【 し 】

- GMO（ジーエムオー）

　食品業界で使うGMOとは「遺伝子組み換え作物」の意味で、「Genetically Modified Organism」の略です。non-GMO（ノンジーエムオー）や非GMOは「遺伝子組み換えされていない作物」の意味で使われます。

　業者間の書類で「不分別」「分別」という用語があります。「不分別」とは「GMOと非GMOを分別管理していないので、両方が混ざっている可能性がある」という意味です。「分別」とは「GMOと非GMOとを分別管理している」という意味ですが、単に「分別管理されており、GMOが混入していない非GMO」という意味で使われることもあります。

　業者間取引書類で「分別」と書いてあって、正確な意味が読み取れない場合は「どういう意味で使っているのか」を、念のため問い合わせたほうがいいと思います。

- 事故

　食品業界で「事故」とは、一般に「違反・クレームとなったミス」のことです。

- 収去検査（しゅうきょけんさ）

　保健所の食品衛生監視員が事業者を訪問し、製品の無償提供を要求し、その製品の検査を行なうことをいいます。食品業者を指導・監督する上で必要な行為です。

　検査の項目は微生物や食品添加物の検査で、試薬や機械を使って科学的な検査方法で行ないます。検査の結果を食品衛生法に照らし、違反に該当した場合は回収を指示・命令することがあります。

　最近は消費者サイドでの食の安全・安心への関心の高まりもあり、保健所も事業者に対して厳しい態度で臨まなければならない環境になり、事業者側も検査の結果が告げられるまでは緊張することでしょう。

- **失活（しっかつ）**

    酵素が働かなくなったり、ウイルスが増殖できなくなった状態を失活といいます。「活性を失う」という意味で、生物の場合の死に相当します。

    細菌の場合は「死滅」「殺菌」「殺菌する」といいますが、酵素・ウイルスの場合は、これらに相当する言い方は「失活」「失活する、または失活させる」です。「ウイルスが失活する」とは「ウイルスが二度と活動できない状態になり、生き物に悪さをできなくなった」という意味です。

    また「不活性化」という言い方もあり、これは「活動できない状態にする」の意味で、「一時的に活動できない状態にする」「二度と活動ができないようにする」のどちらの意味も含みます。

- **賞味期限**

    ５日〜７日以上日持ちする食品は賞味期限で、それ以下の食品では消費期限を表示します。一般には科学的・論理的方法で決定する、ということになっています。科学的方法とは、一般的にこの場合微生物検査を意味します。

    ただし、微生物検査の検査結果をもとに賞味期限を決めるのは、大手食品企業です。小規模事業者が微生物検査をする・外部依頼することは費用的負担が大きいためです。

    そういう事情から、微生物検査によって賞味期限を決めるのではなく、業界ガイドラインや経験で「同業他社の類似品と同等の賞味期間にする」というのが一般的です。目安ですので、実際の日持ちと長短することがあります。消費者からの苦情が複数件寄せられる場合は、賞味期間を短く設定し直す必要もあるでしょう。

- **商品規格書（商品カルテ）**

    これは商品取引で製造者が商談先に提出する「商品の説明書」です。「食の安全」がいわれる以前には提出を求められないこともありました。しかし現在では、商品規格書を商談したい相手に送信し、その商品規格書を商談先が見た上で、はじめて商談の予約がとれる、

のが一般的です。法令遵守を気にする商談先に対しては必須となりました。

　ムダな時間を省くという意味ももちろんありますが、商品規格書の書き方・仕上がり具合を見れば、製造者の食品関連法についての習熟度合・法令順守意識レベルの高低がわかりますので、法令順守意識の高い商談先にとってはリスク管理の1つになります。

・**食品衛生監視票**

　学校給食などの入札に応募する際、提出を求められます。保健所に「学校給食の入札に必要なため、食品衛生監視票の交付をお願いします」と頼みます。

　交付申請書に記入して保健所に提出すると、保健所の食品衛生監視員が工場を見にきてくれます。そして工場内に入り、各所の衛生状況をチェックし、採点票（食品衛生監視票）を後日交付してくれます。

　入札の条件として「85点以上」とか「90点以上」という必要な点数が決まっていますので、その点数以上でなければ入札に参加できません。

・**食品衛生管理者**

　保健所の許可を要する業種のうち、以下の業種については食品衛生管理者の設置が必要です。

　・全粉乳　・加糖練乳　・調製粉乳　・食肉製品　・魚肉ハム
　・魚肉ソーセージ　・放射線照射食品　・食用油脂　・マーガリン
　・ショートニング　・規格が定められた添加物

　食品衛生責任者は講習を受ければ誰でもなれますが、食品衛生管理者になるためには、実務経験者あるいは食品衛生関係の大学卒業者であることが条件になっています。

・**食品衛生責任者**

　食品関係の事業をはじめる場合、以下の業種については、食品衛生責任者の資格を有する人の設置が必要です。また、同一施設内に以下に該当する業種が複数ある場合、原則として業種ごとに食品衛

生責任者を設置する必要があります。

　　飲食店営業・喫茶店営業
　　　……食堂、スナック、喫茶店等（自動販売機を除く）
　　各種販売業（食肉・魚介類等）
　　　……乳類販売業、氷雪販売業、包装食肉・包装鮮魚介類のみの仕入販売を除く
　　各種製造業（菓子・そうざい等）
　　　……食品衛生管理者の設置義務がある業種（食肉製品製造業ほか）を除くすべての製造業

　食品衛生責任者の資格は、食品衛生責任者養成講習会を受講すればもらえます。理解度テストはありませんので、誰でも必ずもらえます。寝ていてももらえますが、せっかくの機会ですので、話は聴いたほうがいいと思います。

【　す　】

・「すっぱい（酸っぱい）」

　「すっぱい味がする」。商品が変質していた場合に、こういう苦情がくることがあります。食品は一般に変質（菌が増えて腐敗）すると酸性に偏ります（pH（ピーエッチまたはペーハー）が下がります）。そのため味がすっぱくなります。本来なら酸味が感じられないはずの商品で「すっぱい」ということはそういう意味です。もともとすっぱい食品である、梅干し・酢などは別です。

【　せ　】

・製造者

　製造とは「材料そのものに実質的な変更をもたらす行為」です。複数の原料を練り合わせる・加熱するといった、一般に「つくる」作業を製造といいます。こういう製造を行なう事業者を製造者とい

います。

・**製造所固有記号**

　食品業界では略して固有記号ともいいます。その商品を製造した会社・工場・住所を表す記号です。この記号は消費者庁に届け出ることになっています。

「その商品がどこの会社・工場・住所でつくられたか？」という情報は、販売者は把握していますが、消費者には伝わりません。

　値段のわりに質がいい廉価品を知名度の高い会社が製造している場合があります。そういう場合、「えっ！　こんなに安い値段で○○会社の商品が売っているんだ」と知れると、値段の高い同社の同種商品が売れなくなったりします。そういう場合、製造者名・製造者住所を消費者に知られたくないということで固有記号を使うこともあります。

　一般的には、複数の工場でつくっている商品のパッケージを共用すればコストが抑えられるというような発想で固有記号を使います。いずれにしても「消費者をだます」「消費者の誤解を誘う」といった意図はない、と思います。

・**「石油臭い」**

　これは非常につらい苦情です。調査には費用と時間がかかりますし、どのような結果が出ても、お客様への説明・報告書作成に頭を悩ます問題です。私のほうが逆に、どうしたらいいでしょう？　と教えてもらいたいくらいです。

　原因がわからない場合には、大手企業なら公表・回収です。小規模メーカーなら同様の苦情が複数発生しない限り、一般的には公表・回収はしません。

【　た　】

・**大腸菌群**

　大腸菌（E.coli、読みはイーコリ）や「O157」も、大腸菌群の仲

間です。検査方法にはデソキシコレート寒天培地（デスオキシコーレイト寒天培地、Deso培地、デソ培地ともいいます）を使う培養法と、BGLB培地（ビージーエルビー培地）を使う培養法があります。

〈大腸菌群が出なかった写真＝陰性〉

大腸菌群の陰性とは「検査で菌がまったく出なかった」ことを意味します。
陰性を（－）と書くこともあります。

〈大腸菌群（点）が出た写真＝陽性〉

陽性とは「検査で菌が出た」ことを意味します。陽性を（＋）と書くこともあります。
１個（点が１個）であろうと、５００個（点が５００個）であろうと、どちらも陽性であることに変わりはありません。

【 の 】

・ノロウイルス

　食中毒の原因となるウイルスです。「85℃・1分間以上」の加熱で無害化（失活）します。

　逆性石けん（殺菌剤などに利用される）や消毒用エタノールでは無毒化できず、次亜塩素酸ナトリウム（じあえんそさんナトリウム、「じあそー」ともいう）で無毒化できるといわれています。次亜塩素酸ナトリウムは、家庭で漂白に使われる「ハイター」の主成分でもあります。

【 は 】

・培養

　食品中に、どのような種類の生きている微生物が、どのくらいの量含まれているのかを調べる際、「栄養満点にした寒天・ゼラチンに調べたい食品の一部を混ぜ、容器に入れて一定の温度で一定時間置いておくこと」を「培養」といいます。生きている微生物がいると数が増えて、その微生物を肉眼で確認することができるようになります。

・HACCP（ハセップまたはハサップ）

　国内では「厚生労働省が認証するHACCP」「一般社団法人大日本水産会が認証するHACCP」「都道府県が認証するHACCP」、海外では「EU向けHACCP」「米国向けHACCP」と、同じ「HACCP」と名がついており、これらはほぼ同じ考え・基準ですが、まったく同じではありません。

　たとえば、都道府県が認証したHACCPを取得しているので欧州・北米に輸出できるかといえば、できません。HACCPは、それを認証した域内のみで通用するものと考えるべきで、ISO（イソまたはアイエスオー）のように世界中で通用する統一された国際規格では

ありません。

　さて、「そもそもHACCPって何？」ということですが、HACCPは「Hazard Analysis and Critical Control Point（危害分析と危険管理点）」の略で、製品が人体に危害を与えないように食品製造する過程を管理する手法です。

　つまり、人体に与える危害を「生物的」「物理的」に分析し、その危害が起こらないよう管理する手法です。

「生物的危害」とは主に微生物による食中毒、「物理的危害」とは主に混入異物が口に入ることによって起こるケガです。

　HACCPは「身体に害を与えない食品をつくるための管理手法」で、管理するのはあくまで「安全」であって「安心」ではないので、食品の品質全般（食味・見た目など）までカバーする管理手法ではありません。したがって、HACCPは品質管理・品質保証の一部でしかありません。

　HACCPに関する日々の作業は、「食中毒を回避するために、温度管理：加熱温度・冷却温度の記録をつける」「異物混入によるケガを回避するために、金属検出機の動作・通過記録をつける」といった記録表（チェックシート）をつけることです。

　HACCPで製造管理ができなくても、HACCPの考え方を知り、その考えに沿って製造することは、製造者・加工者にとって営業を長くつづけるためには不可欠です。

・パーセント（％）

　一口にパーセントといった場合、正式にはその単位は、重量分の重量：ｇ／ｇ（％）、容量分の重量：ｇ／ｍｌ（％）、容量分の容量：ｍｌ／ｍｌ（％）のいずれかです。

・ハラル（ハラール）

　イスラム教徒が口にしてよい食材・料理のこと。イスラム法では豚肉・アルコールを口にすることが戒律で禁じられています。その他の食材・料理についても、イスラム教の決まりごとに沿った処理・調理をしたものしか基本的には口にできません。

食品メーカーがハラルに取り組むには、工場をハラル専用工場とする必要があります。消毒用アルコールはもちろん厳禁です。ハラル対応は技術的にはそうむずかしくありませんが、問題はコスト増です。原料・原料搬入車・製品配送車にいたるまで、すべてハラル対応となります。

　ハラルであることを認証する制度（ハラル制度）はありますが、国際統一基準はないので、日本国内ではトラブルも発生しています。ハラル認証を店頭に掲示している飲食店で、アルコールもメニューに載せている場合があると報じられています。日本人の感覚に置きかえて想像しますと「店頭に禁煙マークが貼ってあるのを確認して入店した嫌煙家のそばでタバコをスパスパ吸う、そしてそれを店員がまったく注意する風もない」というケースより耐えがたいことでしょう。国際問題になりかねません。

　イスラム教徒は世界人口の4分の1を占めるそうですので、小規模メーカーにとってもハラルは魅力的です。観光業・飲食業との連携まで考えれば、地元都道府県庁の食産業振興部局に相談することもお勧めします。

【 ひ 】

・pH（ピーエッチまたはペーハー）

　「pH7」が中性。「pH7未満」が酸性。「pH7より数字が大きい」とアルカリ性です。

　酢・梅干しをはじめ、ほとんどの食品は酸性です。アルカリ性の食品はコンニャク以外、ちょっと思い浮かびません。梅干しがアルカリ性食品といわれるのは、灰化（かいか：焼いて灰にすること）した粉を水に溶かすと、その液がアルカリ性だからです。

・PE（ピーイー）

　ポリエチレンの略。食品の包装材に使われるプラスチックの1種。

- PET（ペット）

    ポリエチレンテレフタレートの略。食品の包装材に使われるプラスティックの1種。
- PS（ピーエス）

    ポリスチレンの略。食品の包装材に使われるプラスティックの1種。
- PP（ピーピー）

    ポリプロピレンの略。食品の包装材に使われるプラスティックの1種。
- PB商品

    プライベートブランド商品の略です。NB（ナショナルブランド）商品に対する語。製造会社の社名を表示せず、代わりに「販売会社の社名と製造所固有記号を表示」した商品をPB商品といっていましたが、昨今は「販売会社の社名と製造会社の社名を表示」するPB商品が増えました。

    一般に、質がよく、かつ安いという特徴があります。PB商品に問題があった場合、消費者への責任は100％その販売会社が負います。
- 微生物

    食品業界では、（微生物）＝（細菌）＋（カビ・酵母）です。
- ヒスタミン

    青魚で問題になることがあります。青魚に含まれるアミノ酸の1種であるヒスチジンが、ある種の微生物によってヒスタミンに変わります。ヒスタミンは熱に強いので、いったんこのヒスタミンができてしまうと、焼く・煮る・揚げるといった加熱調理をしても壊れず、毒性が残ります。

    青魚の干物・フライなどの加工食品でもヒスタミン中毒が起こりますので、微生物が増殖しないよう温度管理にはご注意ください。

【 ふ 】

- 風評被害

　風評被害は自社努力では何ともできない、人災です。多くは消費者の不安によって広がりますが、影響はそのときどき、ケース・バイ・ケースです。

- 腐敗

　食品中で微生物が増えて、人間にとって好ましくない状態になること。食した場合、必ず人体に有害に作用するということではありませんが、食中毒症状を起こす可能性が高いと思ったほうがいいでしょう。納豆やヨーグルトはどちらも美味しいものですが、それが食文化にない人にとっては腐敗と思うかもしれません。

　微生物が増えて、人間にとって好ましい状態になることは「発酵」とか「熟成」といいます。

【 へ 】

- 変色

　「出荷時点では異常がなかったのに、消費者からまだらに色がついている、一部に色がついている」という苦情を受けることがあります。異物が付着している場合もありますが、まさに色だけついているという場合、その原因は何でしょう。

　出荷するときの検品では確かに色はついていなかったという確信がある場合、その食品に含まれる複数の成分が「時間経過とともに」または「召し上がる時の加熱」で反応し、色が発現したというケースがあります。

　これは食品中のアミノ酸と糖が熱で反応して、メイラード反応（アミノカルボニル反応）を起こし、メラノイジンができて、茶色になったのかもしれません。

　また、光に長く当てると食品の色が薄くなることがあります。こ

れは紫外線による漂白作用によるものです。強い日差しで洗濯物の色があせるのと同じ原理です。

・「変な臭いがする」

　こういう指摘には私も真っ青になります。過去に起こった殺虫剤（パラジクロロベンゼン等）・有機溶媒（ベンゼン等）の事件・事故の当該食品会社がとった対応にならえば、「回収」という文字が頭をよぎるからです。

　「送り返していただいた現品を食べてみましたが、とくにそのような臭いは感じませんでした。原因不明です」と回答し、返金ですめばいいのですが、検査・分析となると、その費用は数万円。小規模メーカーにとっては大きな額です。

　臭い物質は揮発性の物質です。揮発するので臭いとして感じます。臭い物質が発生したもとは何か、その物質自体が付着したのか、酵母のような微生物が増える過程で臭い物質が産生されたのか——その原因いかんで健康被害発生の可能性や有無、判断も変わってきます。

【　ほ　】

・胞子（ほうし）

　きのこやカビなどの袋に包まれた子供（種）という意味。

・保健所

　最近はそうでもありませんが、かつては気の毒なくらい食品事業者側に立たされることを強いられていました。食品業界事情の酸いも甘いも心得た人が行政側にいるとしたら、保健所勤務経験者です。食品関連法にかかわる行政機関の中で、大手企業から小規模事業者まで幅広くフィールドワーク（靴底が減るくらい事業者をまわること）をしてきたのは保健所のみです。

・保存温度変更者

　業者間で冷凍流通する食品を解凍して販売する場合、解凍して販

売する人・事業者を保存温度変更者といいます。

　冷凍（−18℃以下）での賞味期限1年の食品を、解凍してチルド（5℃以下）で販売する場合には、解凍した日から「消費期限2日後」の○年○月○日というように期限を変更・印字します。

　解凍してから「何時間後・何日後まで安全か・食味が変わらないか」ということは、もちろんきちんと科学的な確認（主に細菌検査データ）を取った上で決めることになっています。

【　も　】

・**毛髪混入**
　もっとも多い異物混入の苦情がこれです。

あとがき

　私が食品業界で働きはじめた25年程前も、現在とほとんど変わらない法体系でした。ただし、「食品関連法の違反」が第三者から問題視されるということは、ほとんど聞いたことがありませんでした。
　食品衛生法違反にあたる食中毒事件が耳に入る程度でした。食品行政機関とは保健所のことを意味し、食品事業者を巡回啓蒙してきたのは唯一保健所のみで、現在もそれはあまり変わりありません。
　もちろん行政機関による啓蒙・取締りの有無にかかわらず、規模の比較的大きな食品メーカーは「自主的」に法の順守に努めてきましたが、自主的順守の面でトップレベルに位置した大手メーカーの雪印が食中毒を起こした事故以来、世の中の舵が大きく変わりました。行政側は企業保護から消費者保護へと変針を余儀なくされ、現在に至っています。

　食品事業者が食品関連法の順守に努めるのは当然のことですが、完璧を期するのは、むずかしい話です。とくに規模が小さい事業者になるほど、人・物・金の面で壁・制約があります。
　「誠実に営業する＝法令順守できる」というものではありません。食品関連法の順守、とりわけ科学的分析・検査を日々行なってはじめて守れていることを確認できる食品衛生法の場合、日々の検査なしには、消費者から健康を害したという苦情が寄せられなかったという結果オーライで類推するしかありません。
　しかし、食品表示法違反・景品表示法違反・不正競争防止法違反は、知識不足・不誠実から起こるものですから、現在在籍する従業員の努力によって順守することが可能です。努力と誠実、現有資産（従業員）での対応が可能です。

　報道される食品関係の事件は、法に照らして公正であっても、公平ではありません。たまたま問題が顕在化した事業者が徹底的に叩かれると

いう状況です。公平性を伴わない処分は不公平感を生むだけですが、行政側は問題の広がりをおそれてか手を広げません。顕在化した事件を起こした事業者のみを処罰することで処理しようとしている、という心証を私はもちます。

　食品表示については、ミスや勘違いによると思われる間違い・意図的な優良誤認表示をいまも見かけます。このことからも、担当行政機関の啓蒙不足・点検不足が読み取れます。「汗水そしてときに冷や汗も流しながら、小規模事業者への啓蒙にあたっている」、そう私が敬意をもって評価する食品行政機関は、唯一保健所の食品衛生監視員のみです。
　食品関連法の知識を深めることで、回避できる違反を徐々に減らしていくことは、事業者にとって回収・違反公表の経営リスクを軽減するメリットがあります。
　小規模食品メーカーの経営者・従業員の方は睡眠時間を削って仕事をしておられるでしょう。この本がトラブル回避・トラブル処理に少しでも役立ち、心身を休める時間を生む一助になることを願います。

　最後に、食品行政機関は「ウェルカムの精神（いつでも相談してください）」でいます。私が直に接触する行政機関の人は、地元宮城県・仙台市の保健所の方たちです。気の毒に思うほど親切・親身に指導・相談にあたっています。他都道府県・政令指定都市の保健所とは間接的な接触がある程度ですが、おおむね同じ印象を受けます。
　こういう人たちは決して無理な・できそうもない改善を強く要求することはありません。自力に合わせた、その事業者を少しずつよくする方法を懇切ていねいにアドバイスして回っています。こういう人たちを頼りとし、そして決して恩を仇でかえすことにならないよう、事業者側も知識・意識を少しずつ身につけていただきたい、そう願います。
　善良なる他者に迷惑をかけない——これは人としてとても大切なことです。自戒を込めてそう申し上げます。

佐伯龍夫（さえき　たつお）
1964年岩手県釜石市生まれ。東北大学農学部食糧化学科卒。調味料・水産・畜産・惣菜と業種の異なる数社の食品加工会社で品質保証業務に従事。業種・企業規模・販路等による多重多層の品質保証要求レベルを体感。
現在、中小企業での実務経験をもとに、各食品関連事業者の自力・販路に即した品質保証実務をコンサルティング・代行している。

＜ホームページアドレス＞http://safetyfood.dreamblog.jp/

最新版
食品に関する法律と実務がわかる本

2009年 9月 1日　初　版　発　行
2015年 9月20日　最新 2 版発行

著　者　佐伯龍夫　©T.Saeki 2015
発行者　吉田啓二
発行所　株式会社日本実業出版社　東京都文京区本郷 3 − 2 − 12 〒113-0033
　　　　　　　　　　　　　　　　大阪市北区西天満 6 − 8 − 1 〒530-0047
　　　　編集部 ☎03-3814-5651
　　　　営業部 ☎03-3814-5161　振　替　00170 − 1 − 25349
　　　　　　　　　　　　　　　　http://www.njg.co.jp/
　　　　　　　　　　　　　　　印刷／理想社　　製本／共栄社

この本の内容についてのお問合せは、書面かFAX（03-3818-2723）にてお願い致します。
落丁・乱丁本は、送料小社負担にて、お取り替え致します。
ISBN 978-4-534-05315-2　Printed in JAPAN

日本実業出版社の本

好評既刊!

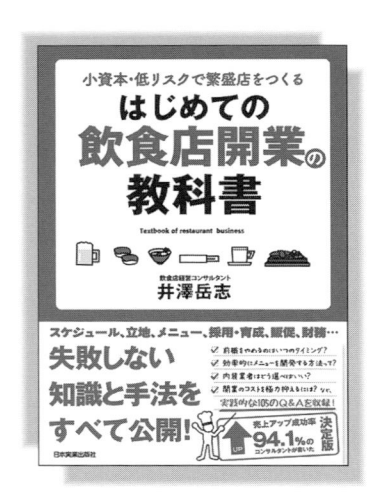

井澤岳志=著
定価 本体 1800円（税別）

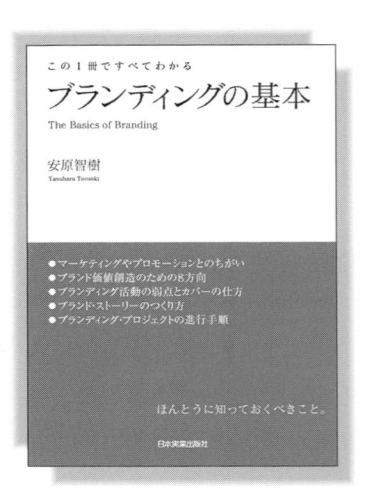

安原智樹=著
定価 本体 1600円（税別）

福島 徹=著
定価 本体 1500円（税別）

田中義樹=著
定価 本体 1300円（税別）

定価変更の場合はご了承ください。